Schmunzelgeschichten

Hermann Gutmann

Schmunzelgeschichten

»Dreimal ist Bremer Recht«
und andere Geschichten aus
fernen Tagen

EDITION TEMMEN

Die Deutsche Bibliothek – CIP-Einheitsaufnahme

Schmunzelgeschichten : »Dreimal ist Bremer Recht« und andere
Geschichten aus fernen Tagen / Hermann Gutmann. -
Bremen: Ed. Temmen, 2001

ISBN 3-86108-165-2

© 2001 Edition Temmen
28209 Bremen – Hohenlohestr. 21
Tel. 0421-34843-0 – Fax 0421-348094
info@edition-temmen.de

Lektorat und Satz: Linda Sundmaeker
Herstellung: Edition Temmen

Inhalt

Im 20. Jahrhundert

»Dreimal ist Bremer Recht« und andere Geschichten aus dem Mittelalter

Dreimal ist Bremer Recht

Es war im Sommer des Jahres 1307, als sich zwei Hansebürger, Hinrik Bersing aus Bremen und Tylo Bodendorp aus Lübeck, zufällig in einer Hamburger Herberge in der Deichstraße trafen und sich in ein anregendes Gespräch vertieften.

Sie hockten einträchtig beisammen, tranken Hamburger Bier, weil es, wie Hinrik Bersing bedauernd feststellte, in Hamburg, zumindest aber in dieser Herberge, kein Bremer Bier gab, das doch zu jener Zeit weit über Bremen hinaus bekannt und beliebt war. Und wie sie da so saßen, beim Hamburger Bier, schnackten sie über ihre Vaterstädte, die sie, wie es sich gehörte, über alles liebten.

Bei dieser Gelegenheit nahm Hinrik Bersing, was eigentlich gar nicht seine Art war, den Mund ein bißchen zu voll, was den Lübecker maßlos ärgerte, zumal er nicht so flink mit der Zunge war und ihm die besten Argumente für seine Heimat im Munde stecken blieben. Schließlich fing er an, weil ihm nichts besseres einfiel, die Bremer Ratsherren zu beschimpfen und sie als hoffärtig zu bezeichnen.

Und als Hinrik Bersing ärgerlich fragte, was ihn zu dieser absonderlichen Feststellung veranlaßt haben könne, meinte Tylo Bodendorp, man wüßte doch, daß sich die Bremer Ratsherren anmaßten, Gold und Pelzwerk zu tragen, was ihnen – auf Grund ihrer Bürgerlichkeit – nicht gebühre.

Bersing blieb ganz ruhig und entgegnete: »Doch, doch, sie haben das Recht, Gold und Pelzwerk zu tragen. Der Kaiser hat es ihnen erlaubt – und zwar

zu einer Zeit, da es in Lübeck noch gar keine Rats-
herren gab.« Dabei konnte er sich ein spöttisches
Lächeln nicht verkneifen, was nun wiederum dem
Lübecker zu Kopf stieg.

Und weil sie einander eigentlich recht gut leiden
konnten, meinte Bersing schließlich, er könne ja auch
nichts dafür, aber die Bremer seien unter ihren Ratsherrn mit Herzog Gottfried von Bouillon ins Heilige Land gezogen. Gut hundert Jahre seien es her,
derweil, so merkte er an, die Lübecker, viel zu sehr
mit ihren eigenen Problemen beschäftigt, zu Hause
geblieben seien.

Und er fuhr fort: »Darum erhielten die Bremer
bei ihrer Heimkehr drei herrliche Stücke der Ho-
heit vom Römischen Kaiser, deren sie sich ewig freu-
en werden: Zum ersten, daß sie eine eigene Gerichts-
barkeit haben; zum anderen, daß sie die Weser, des
Reiches freie Straße, verteidigen dürfen gegen jede
Unbill bis in die See; zum dritten, daß Bremer Ratsherren an ihrer Kleidung Gold und Pelzwerk tragen
dürfen wie die Ritter.«

Der Lübecker war mißtrauisch und glaubte das
nicht.

Ein Wort gab das andere, wobei auch Bersing
sich nicht enthalten konnte, seiner schlechten Mei-
nung über Lübeck Ausdruck zu verleihen. Am Ende
landeten die beiden Streithähne vor dem Rat der
Stadt Hamburg, der sich nun wand wie ein Aal, weil
er es weder mit den Lübeckern noch mit den Bremern verderben wollte.

Einer der Ratsherrn, Johann Franzoiser mit Namen, war ein lustiger und gewandter Herr, ein typi-
scher Hamburger. Er redete auf die beiden ein, zupfte

so ergötzlich den verwirrten Streit auseinander und fädelte die Versöhnung geschickt ein. Schließlich widerrief Tylo Bodendorp seine Schmähung und erklärte ernsthaft, er wisse vom Rat und der guten Stadt Bremen nichts als Erfreuliches zu sagen. Da bekannte auch Hinrik Bersing, daß er vom Rat und der Stadt Lübeck nur Liebes und Gutes vernommen habe.

Nach dieser Versöhnung geleitete Herr Franzoiser die beiden freundlich zum Rathaus hinaus und riet ihnen, die Aussöhnung durch ein gutes Hamburger Essen zu besiegeln. Man gab einander die Hand, und Herr Franzoiser atmete erleichtert auf.

Und während der Bremer und der Lübecker durch Hamburg spazierten, stellten sie fest, daß Hamburg auch so übel nicht sei, nicht so schön, wie Bremen, sagte Bersing, und Bodendorp meinte, was Lübeck beträfe, da käme keine andere Stadt mit, was Bersing großzügig überhörte.

Danach betraten die beiden Herren eine bekannte und gute Schänke der Stadt und setzten sich an einen gedeckten Tisch.

Der Wirt servierte ihnen eine kräftige Suppe mit fünferlei Kraut, viererlei Gemüse, dreierlei Klößen, zweierlei Obst und einerlei Fisch, nämlich Aal, nebst Süß und Sauer.

Nach diesem Hamburger Nationalgericht gab es Hamburger Rauchfleisch, und zum Trinken wurde das beste Hamburger Bier serviert, das natürlich längst nicht so gut war, wie das Bremer Bier, und schon gar nicht, wie Bodendorp meinte, an den Lübecker Wein heranreichte, der in Fässern aus dem Rheinland herangekarrt werde.

Aber der Lübecker und der Bremer waren sich einig: »Vom Essen verstehen die Hamburger eine ganze Menge.«

Genau das kommt ja auch in einem alten hansischen Sprichwort zum Ausdruck, das unsere zwei Freunde allerdings noch nicht kannten. Es lautet:

»Die Lübecker trinken über ihre Verhältnisse, die Hamburger essen über ihre Verhältnisse, die Bremer wohnen über ihre Verhältnisse.«

Bersing brauchte das Sprichwort auch gar nicht zu kennen. Er war jedenfalls froh, als er wieder zu Hause in Bremen war – denn »Nord, Ost, Süd, West – Bremen best!«

Weihnachten 1488

In der großen Politik hatte es im Jahre 1488 einige Aufregung gegeben, was aber die etwas abseits gelegenen Bremer gelassen hinnahmen.

Die von Brügge, hinten in Flandern gelegen, hatten doch tatsächlich den jungen König Maximilian I. gefangengesetzt und ihn erst freigelassen, nachdem die deutschen Fürsten mit Krieg gedroht hatten. Krieg konnte Brügge nicht gebrauchen.

In Esslingen hatten sich der Adel und die Städte zum Schwäbischen Bund vereinigt, um stark zu sein gegen mächtige Nachbarn – zum Beispiel gegen die Bayern.

In Schottland war König Jakob III. im Kampf gegen seine rebellierenden Adeligen gefallen. Das bekamen die Bremer aber erst sehr viel später mit – wenn überhaupt.

Die Bremer waren sowieso am liebsten mit sich selbst beschäftigt und rieben sich zufrieden die Hände. Die Querelen mit Herzog Johann von Sachsen-Lauenburg waren einigermaßen glücklich für die Bremer zu Ende gegangen. »Dschohann war dscha man auch'n büschen schwach auffe Brust«, würde der Bremer heute sagen. Und wenn die Bremer nicht soviel Schulden gehabt hätten, wären die Jahre von 1485 bis 1494 von geradezu paradiesischer Glückseligkeit gewesen.

Na ja, gut, in diesem Paradies störten wie üblich die Oldenburger, weil die ja immer etwas zu quaken hatten. Aber die Bremer waren sich ausnahmsweise einmal alle einig, daß sie zusammenhalten müßten, was sie denn auch taten.

Im Jahre 1488 schlossen die Stände des Erzstifts einen Vertrag über die gemeinsame Wahrnehmung ihrer Rechte für die nächsten zwanzig Jahre.

Unter diesen Umständen konnte man dem Weihnachtsfest in aller Ruhe entgegenblicken, wobei allerdings gesagt werden muß, daß das Weihnachtsfest im Jahre 1488 mehr innerlich gefeiert wurde, und für die Kinder war es ein lästiger Tag, weil sie – feingemacht – mit in die Weihnachtsmesse gehen mußten.

Das Fest der Kinder war der Nikolaustag, und wir dürfen wohl davon ausgehen, daß er in Bremen grad so gefeiert wurde wie anderswo in Nordwestdeutschand.

Der heilige Nikolaus ist immerhin der Schutzpatron der Kaufleute und der Schiffer. Aber er ist auch der Schutzpatron der Schüler.

Und so werden die Schüler der Domschule in Bremen einen Umzug durch die Straßen der Stadt veranstaltet haben. Ihnen voran ritt der Erzbischof auf einem Pferd. Und irgendwann um diese Zeit mag sich auch der Brauch durchgesetzt haben, die Kinder zu beschenken, wenngleich der vor die Haustür gestellte Teller erst im 16. Jahrhundert nachweisbar ist.

Es ist anzunehmen, daß die Geschenke, mit denen die Kinder am Nikolaustag bedacht wurden, vor allem nützlichen Charakter hatten. Aber es gab auch damals schon Spielzeug – selbst für die Armen.

Eine Rassel, zum Beispiel, wurde aus dem abgeschnittenen Schlund einer Gans hergestellt. Der

Schlund wurde zu einem Ring geformt und mit ineinandergesteckten Enden getrocknet. Im Innern befanden sich kleine Steine, die das rasselnde Geräusch besorgten.

Flöten gab es aus Holz und Knochen. Kreisel und Peitsche, mit denen die Älteren unter uns ja noch als Kinder gespielt haben, waren damals schon sehr beliebt. Es gab Murmeln, Tierfiguren, Puppen und – selbstverständlich – Kriegsspielzeug.

Aber der Nikolaustag war am Weihnachtsfest längst vergessen. Die Weihnachtsmesse stand bevor. Und da mußte man hin, ob man wollte oder nicht, was übrigens auch für die Erwachsenen nicht immer ein Vergnügen war. Denn die Bremer Innenstadt war außerordentlich fußgängerfeindlich, wie man heute sagen würde.

Selbst bei trockenem Wetter flossen die Abwässer durch die Straßen, in denen sich obendrein die Schweine tummelten. Es stank, schlicht gesagt, was aber auch damit zusammenhing, daß der Bremer, was seine Körperpflege betraf, nicht eben ein Ausbund an Sauberkeit war.

Man muß sich vorstellen, daß damals allenfalls in wohlhabenden Haushalten ein Badezuber stand, in dem die Familie ein erfrischendes Bad nehmen konnte. Vadder zuerst und dann der Reihe nach und nach Rangfolge alle Familienmitglieder. Und alle im selben Wasser, versteht sich. Denn das Wasser mußte ja extra beim großen Wasserrad aus der Weser geschöpft und ins Haus geschleppt werden.

Für die einfacheren Leute gab es keine privaten Badezuber. Sie waren – wenn überhaupt – auf die öffentlichen Bäder angewiesen. Immerhin gab es im

Jahre 1488 vier öffentliche Badestuben in Bremen. Sie lagen am Stavendamm – was der Name noch heute sagt.

Aber wenn man dort hineinging, wurde man meist von dem Gedanken an ein reinigendes Bad abgelenkt, allein durch die Tatsache, daß manchmal schon jemand im Badezuber saß – und zwar vom anderen Geschlecht, was wir jetzt aber nicht weiter ausführen wollen.

Wir dürfen also davon ausgehen, daß nicht alle Bremer im Jahre 1488 frisch gebadet in die Weihnachtsmesse gegangen sind. Aber daß sie gegangen sind, steht außer Frage. Im übrigen hatten wir in Bremen ja noch katholische Zeiten. Luther stand vor der ersten Einschulung und dachte noch lange nicht an seine 95 Thesen.

Nach dem Besuch der Weihnachtsmesse war dann allerdings das Weihnachtsfest auch vorbei. Abgesehen davon, daß es selbstverständlich 'ne anständige Portion Braunkohl und Pinkel zu essen gab – ausnahmsweise mit einem riesigen Stück Speck.

Enricius Cordes

Enricius Cordes, Professor der Medizin in Marburg, reiste im Jahre 1533 nach Bremen, weil er gehört hatte, daß dort der »englische Schweiß« ausgebrochen sei, eine scheußliche Krankheit, an der viele Bremer starben.

Dazu sollte man wissen, daß der »englische Schweiß« an einem rauhen und regnerischen Augusttag das Jahres 1525 von England her nach Bremen »einwanderte« und die Bremer in Angst und Schrecken versetzte.

Es war eine tödliche Krankheit, die sich mit heftigem Fieber ankündigte, das bis zu zwei Tage dauerte. Der Kranke lag wie in Schweiß gebadet, litt unter schrecklichem Durst, hatte fürchterliche Angstzustände und starb nach kurzer Zeit an Erschöpfung.

Wer das Fieber 24 Stunden aushielt, was aber sehr selten geschah, war gewöhnlich gerettet. Er lag zunächst wie tot da. Doch allmählich kehrten, oft nach Tagen und Nächten, seine Lebensgeister zurück.

Die Krankheit konnte alle befallen, Kinder und Greise, Arm und Reich. Und meistens wütete sie in den Städten. Gegen Endes des Jahres 1525 verschwand sie aus Bremen, aber sie kehrte im Jahre 1533 zurück, wütender denn zuvor.

Zu den Erkrankten gehörte auch Bürgermeister Hoyenborch, ein ritterlicher Herr, der von einem Tag zum anderen auf dem Krankenbett lag, triefend vor Schweiß, gequält vom Durst, röchelnd und angstvoll nach Atem ringend. Hilflos umstanden ihn die Seinen und seine Freunde, unter denen sich auch der alte Stadtarzt Doktor Johann Caspar und der Meister Stadtbader Peter Schröder befanden. Sie hielten ihm einen Schwamm mit Essig unter die Nase und erfrischen ihn mit roten Rosen, die sie in Essig gelegt hatten, und Schröder kam mit lauwarmen Bier, in der Hoffnung, es könne helfen.

In diesem Augenblick öffnete sich die Tür des Krankensaales, und ein Fremder trat ein. Es war ein kleiner, feiner, älterer Herr mit großen prüfend blickenden Augen. Er stellte sich vor und bezog sich auf Pastor Probst, einen seiner Verwandten, der ihm von dem Leid in Bremen erzählt hatte.

Als der Doktor Johann Caspar hörte, daß der Mann Enricius Cordes hieß und aus Marburg kam, brauchte er keine Fragen mehr an den Fremden zu richten. Er wußte, daß Rettung gekommen war, denn der Name Enricius Cordes war in der Fachwelt bekannt.

Cordes verabreichte dem Patienten eine wasserklare Medizin und sie warteten. Minute um Minute zerrann, das Röcheln und Keuchen des Bürgermeisters wurde leiser, hörte nach einer Viertelstunde ganz auf, und der Kranke fiel in einen erlösenden Schlaf.

Anschließend hat Cordes dann noch viele Menschen in Bremen vom »englischen Schweiß« geheilt, und Bremen zeigte sich dankbar. Er wurde mit einem Geschenk belohnt, außerdem wurde ihm die Stelle des Stadtarztes angeboten, weil der bisherige Arzt, der Doktor Caspar, aus Altersgründen nicht mehr praktizieren wollte. Darüber hinaus wurde Cordes Professor der Arzneikunde am Lyceum in der Catharinenstraße und erhielt den Titel Stadtphysikus.

Im Jahre 1534 nahm Cordes den Posten und die Ehrungen an. Bald war er in ganz Bremen populär und beliebt.

Cordes hatte einen feinen Witz, und so manche Anekdote wurde über ihn erzählt:

Ein reicher Bremer, der dem Professor auf der Straße begegnete, klagte über seine Mutter, die ein bißchen kränkelte, und er meinte: »Sie will durchaus nicht, Herr Professor, daß ich Euch rufen lasse.«

»Das kann ich ihr nicht verdenken«, sagte Cordes lächelnd, »wenn sie mit dem Arzt nichts zu tun haben mag, dann hat sie auch noch keine Lust zu sterben.«

~

Sehr erschwert wurde Cordes der Umgang mit den Landleuten, deren Sprache er nicht so recht verstand.

Einmal schärfte er einem Krankenboten ein: »Hört zu! Ihr bekommt in der Rathsapotheke eine Buddel Medizin, von der erhält der Kranke alle zwei Stunden einen Holzlöffel, wie Ihr sie zum Essen benutzt. Vor dem Einnehmen müßt Ihr sie tüchtig durchschütteln und an einer möglichst kalten Stelle aufbewahren. Übermorgen komme ich, um nach dem rechten zu sehen.

Der Bote ging und versicherte, daß er alles genau bestellen und verrichten wolle.

Als Cordes zwei Tage später bei dem kranken Bauern erschien, erklärte ihm die Dienstmagd, daß die Bäuerin und ihr Sohn eben jetzt in der Scheune seien, um den Kranken tüchtig durchzuschütteln und in die Medizin einzurichtern.

Cordes eilte in die bezeichnete Scheune, welche ganz offene Wände hatte und weder Kälte noch Durchzug den Eintritt verwehrte, während Mutter und Sohn den schrecklich stöhnenden Patienten fürchterlich schüttelten.

Cordes beendete die Radikalkur und erfuhr, daß der Bote die Begriffe verwechselt hatte. Statt die Medizin kalt zu stellen, war der Patient den Unbilden des Wetters ausgesetzt worden, und statt die Medizin gut durchzuschütteln, hatte man sich den Kranken vorgenommen und ihn kräftig geschüttelt.

~

Professor Enricius Cordes, der am 24. Dezember 1538 gestorben ist, pflegte zeitlebens zu sagen:

»Ein Arzt hat drei Gesichter – das eines Engels, das eines Gottes und das eines Teufels. Ein Engel ist er, wenn er am Bette eines Kranken erscheint, ein Gott, wenn er den Kranken gesund gemacht hat. Ein Teufel aber ist er, wenn er seine Bezahlung verlangt.

»Die Herren vom
Frischeluft-Kontor«,
und was es sonst im
19. Jahrhundert zu lachen gab
– und nicht nur zu lachen

Auch ein Vorteil

Es war in der Zeit, als Bremen eine französische Provinzstadt war - im Jahre 1811.

Die Witwe eines Ratsherrn hatte sich, was sie niemals in ihrem Leben für möglich gehalten hätte, in einen französischen Offizier verguckt, der ihr allerdings auch über Gebühr den Hof machte.

Am Ende stellte sich heraus, daß der Franzose der nicht eben unbegüterten Dame einen Heiratsantrag gemacht hatte, was in der Bremer Gesellschaft mit Eiseskälte zur Kenntnis genommen wurde.

Es soll der Bürgermeister oder - wie es damals hieß - der Maire Dr. Wilhelm Ernst Wichelhausen gewesen sein, der die Dame auf einer Gesellschaft beiseite nahm und ihr im Hinblick auf ihre Lebenspläne an der Seite eines Mannes, den sie kaum kannte, ins Gewissen redete.

Er sagte in Gedenken an den verstorbenen Ratsherrn, den er als einen etwas flatterhaften Herrn in Erinnerung hatte: »Denken Sie bitte daran, daß es sehr angenehm ist, den Namen eines Mannes zu tragen, der keine Dummheiten mehr machen kann.«

La Vache – die Wäsche

Zu Beginn des 19. Jahrhunderts befanden sich am Dobben Bleichanstalten, und um das Jahr 1811, während der Franzosenzeit, passierte es, daß eine übereifrige Wäscherin schon vor Tagesanbruch ihres Amtes waltete.

Am gegenüberliegenden Ufer des Dobbens, der ja ein alter Flußarm der Weser war, vernahm ein auf Posten stehender französischer Soldat das Plätschern, das ihm verdächtig vorkam. Er brachte sein Gewehr in Anschlag und rief in die Dunkelheit hinein: »Qui vive?«

Der Wäscherin aber rief schlagfertig: »La vache!«

Und kichernd fügte sie hinzu: »Wäten Se so'n bäten franzmännisch kann ich ok!«

Der Soldat aber gab sich mit dieser Auskunft zufrieden, obwohl sich weit und weit keine Kuh, »la vache«, aufhielt.

Er hatte die Frau verstanden.

Gesche Plaß -
die verlassene Soldatenbraut

Dieses ist eine traurige Lebensgeschichte, die man eigentlich von einem Bänkelsänger in Versen singen lassen sollte. Aber wo gibt es heute noch Bänkelsänger?

> Es ist eine alte Geschichte,
> Doch bleibt sie ewig neu,
> Und wem sie just passieret,
> Dem bricht das Herz entzwei!

Es handelt sich um das Schicksal von zwei jungen Bremern, die einander sehr liebten. Das Mädchen hieß Gesche Plaß. Doch der Geliebte, dessen Namen wir nicht kennen, war im Jahre 1810...

> ...Durch des Geschickes Macht
> Gezogen in die wilde Schlacht,
> Und hatte nicht geschrieben,
> Ob er gesund geblieben.

> Und als nun...
> ...jedes Heer mit Sing und Sang,
> Mit Paukenschlag und Kling und Klang,
> Geschmückt mit grünen Reisern,
> Zog heim zu seinen Häusern...,

...da war der Geliebte nicht dabei, der Geliebte von Gesche Plaß.

Gesche Plaß wurde sehr traurig und am Ende sogar tiefsinnig. Lange hat sie den Gefallenen beweint. Und nach und nach verlor sie dabei den Verstand.

Es entstand in ihr die fixe Idee, daß der Geliebte im Feindesland gefangen sei und eines Tages mit einem Trupp anderer Krieger zurückkehren werde.

Und als vom Jahre 1816 an bis weit in die fünfziger Jahre hinein stets am 18. Oktober der Völkerschlacht von Leipzig gedacht und feierlich begangen wurde und die Bremer Bürgerwehr im pomphaften Aufzuge durch die Stadt zum Marktplatz zog, konnte man alljährlich Gesche Plaß im weißen Brautkleid dem Zug voranschreiten sehen.

Die Arme bildete sich ein, sie zöge mit den heimkehrenden Truppen von Frankreichs Gefilden in die Stadt.

Sie starb – so endet der Chronist – hochbetagt.

Martin Husch

Es war um die Mitte des 19. Jahrhunderts, als in Bremen ein Herr Martin Husch lebte, von dem die Bremer sagten, er sei nicht recht bei Troste. Andere meinten allerdings, er sei ein Original und im übrigen gar nicht so verkehrt.

Heute ist Martin Husch längst vergessen. Aber wenn man in alten Papieren blättert, in Zeitungen und Notizen, dann kann es schon passieren, daß man auf seinen Namen stößt.

Martin Husch war ein Viehhirt, ein Viehtreiber, der laut singend durch die Stadt zog, wahrscheinlich durch die Sögestraße, wo heute ein Denkmal eines Schweinehirten steht.

Es ist nicht überliefert, was Martin Husch gesungen hat. Vielleicht war es ein Lied, das die Leierkastendreher düdelten:

Baben in dat Schapp
Hangt min Sonndagsfrack
Mit twee Riegen silbern Knöpe.

Högerupp, zum Trudeldideldallala!
Högerupp, Högerupp, zum Trudeldideldallala!

Wullt du'n Slaprock hebben,
Kannst et mi man seggen,
Will'ck de eenen maken laten!

Högerupp, zum Trudeldideldallala!
Högerupp, Högerupp, zum Trudeldideldallala!

Mettwurst hefft wi ok
Twee un dree in'n Rook
Un von' allerbesten Schinken!

Högerupp, zum Trudeldideldallala!
Högerupp, Högerupp, zum Trudeldideldallala!

Wichtig war natürlich der Kehrreim.

Heute singt kaum noch jemand in der Sögestraße, und plattdeutsch schon gar nicht. Es gibt allerdings einen jungen Mann, der gelegentlich laut singend durch die Sögestraße geht, wobei er sein Fahrrad schiebt. Aber seine Gesangsdarbietungen haben nichts mit Högerupp zu tun , sondern mit Werder Bremen. Er singt unentwegt das schöne Lied: »Werder Bremen wird nicht untergehen!« Er heißt auch nicht Martin Husch. Er könnte aber ein Verwandter von ihm sein.

Martin Husch kannte Werder Bremen gar nicht. Er konnte den SV Werder nicht kennen, den gab's nämlich noch gar nicht. Dafür aber schwang er einen Weidenzweig und tat gerade so, als habe er eine Herde Kühe oder eine Herde Schweine vor sich, selbst dann, wenn weit und breit keine Kühe oder Schweine zu sehen waren.

Martin Husch schwang den Weidenzweig und rief in seinen Gesangspausen: »Hott! Hott!«, in der Hoffnung, daß die Kühe oder Schweine etwas schneller liefen.

Es versteht sich, daß die Bremer den sonderbaren Mann, den sie alle kannten – Bremen hatte damals ungefähr 60.000 Einwohner, ansprachen und ihn vielleicht auch ein bißchen auf den Arm nahmen, um ihm einige seiner Redewendungen zu entlocken.

Martin Husch aber war um keine Antwort verlegen, und meistens waren es Weisheiten, die oft nach Viehhirten-Philosophie schmeckten und die Leute zum Lachen brachten.

Manchmal allerdings gab er allzu vorlauten Bremern Weisheiten mit auf den Weg, die er in der Bibel gefunden hatte.

»Hast du Vieh, so warte sein, und trägt dirs Nutz, so behalt es«, schlug er so manchem Stutzer vor, von dem er jedenfalls wußte, das der mit Vieh überhaupt nichts anfangen konnte. Und nicht selten schätzte er die Bibelfestigkeit seiner Gesprächspartner richtig ein, in dem er sagte: »Guck nach! Sirach, Kapitel 7, Vers 24.« Er sagte es natürlich Plattdeutsch.

Und wer ihm besonders dumm kam und mit Fragen in Verlegenheit bringen wollte, erst Recht in Gegenwart anderer, dem schlug er Hiobs Kapitel 12, Vers 7 um die Ohren: »Frage doch das Vieh, das wird dich's lehren!«

»Vater Biedermann«

Die Kinder nannten ihn etwas respektlos »Vater Biedermann«, was mit seiner Kleidung zu tun hatte.

Der etwas sonderliche alte Herr, der in den fünfziger Jahren des 19. Jahrhunderts tagtäglich durch
die Altstadt wandelte, kleidete sich nach der Mode
der längst vergangenen Biedermeierzeit. Er trug eine
riesige Mütze mit breitem Schirm, einen grünen
Ärmelmantel, Kniehosen und Stulpenstiefel. Außerdem trug er einen roten Regenschirm unter dem
Arm.

Der alte Herr ging mit Würde durch die Stadt,
die einem Bürgermeister angemessen gewesen wäre,
so daß die Leute sagten: »Sieh, da kommt er wieder,
der Beherrscher aller Bremer!«

Einmal, an einem schönen Sommertag, konnte
sich ein junger Mann die Frage an den alten Herrn
nicht verkneifen, warum er denn an diesem Tag einen Regenschirm bei sich trüge.

»Vater Biedermann« guckte den jungen Herrn ein
bißchen strafend an, und nach einem Augenblick
des Überlegens, ob er überhaupt antworten sollte,
meinte er bedächtig: »Junger Mann, in Bremen ist
das so, wenn man keinen Schirm bei sich trägt, denn
regnet es. Und wenn man, wie ich, immer einen
Schirm bei sich trägt, und es beginnt zu regnen,
dann spannt man ihn auf.«

Nei ut, Moll kommt!

Im 19. Jahrhundert gab es in Bremen zwei Polizei-diener, die in ihren roten Röcken und mit wichtigen Amtsmienen durch die Straßen der Stadt zogen. Dabei entging ihnen nichts.

Sie hießen Moll und Tietzel und walteten, wie der Bremen-Chronist Heinrich Helmers schrieb »mit der Strenge von Muftis ihres Amtes«, so daß in Bremen das Sprichwort aufkam: »Nei ut, Moll kommt!«

Kinder aber, die nicht parieren wollten, wurden mit dem Rufe gewarnt: »Paß auf, glieks kummt Tietzel!«

Das wirkte immer.

Die Herren vom »Frischeluft-Kontor«

Sie standen im ersten Quartal des 19. Jahrhunderts in der Sögestraße einträchtig beieinander, die Herren Fritz Pflüger und Jan Griffel, und warteten auf Kundschaft. Ihren Eckplatz in der Sögestraße nannten sie »ihr Frischeluft-Kontor«, und wer einen Boten benötigte, der brauchte nur zu ihnen zu gehen. Botengänge wurden prompt erledigt.

Der Weizen aber blühte für Fritz Pflüger und Jan Griffel, wenn im Sommer an der Schlachte der Schellfischhandel in Schwung war. Fritz Pflüger und Jan Griffel waren dann mit dem Ausnehmen der Fische beschäftigt. Sie saßen in einem kleinen Boot, arbeiteten wie verrückt und sangen englische Matrosenlieder. Denn sie waren, so erzählten sie, in jungen Jahren Seeleute gewesen.

Und Fritz Pflüger pflegte zu sagen, das Leben an Bord sei ja sehr angenehm gewesen, doch mit den Jahren hätten sie sich, er und Jan Griffel, nach einer Stellung in einem Kontor umgesehen, und die Stellung hätten sie dann ja auch gefunden.

Der Herr, der »auf dem Strich« ging

Nein, nein, dieses ist keine unmoralische Geschichte. Unmoralische Geschichten gehören nicht in dieses Buch.

Es ist die Geschichte eines Sonderlings, der Mitte des 19. Jahrhunderts in Bremen lebte. Es war ein elegant gekleideter, etwas klein geratener Herr, der stets ein langes spanisches Rohr als Spazierstock trug. Mit dem Stock scheuchte er aber auch ihm entgegenkommende Passanten beiseite, Kinder und Erwachsene. Der Sonderling hatte es sich in den Kopf gesetzt, auf dem Gehweg stets in der Mitte, sozusagen »auf dem Strich«, zu gehen. Und damit ihm auch niemand in die Quere kam, rief er unentwegt »Stßt« »Stßt«. Die Bremer kannten ihn und wichen schon von weitem aus.

Einmal stellte ihn ein Ortsfremder, der sich von ihm über Gebühr belästigt fühlte, zur Rede.

Der Herr »auf dem Strich« hörte sich eine Weile an, was ihm der Ortsfremde zu sagen hatte. Dann fragte er: »Sie sind wohl nicht aus Bremen?«

»Nein«, antwortete der andere. »Ich bin aus Hannover.«

»Das ist gut«, sagte der Bremer. »Dann kehren Sie man nach Hannover zurück. Da können Sie gehen, wie Sie wollen.«

Der alte Sprachlehrer mit der Rose

Ein alter Sprachlehrer spazierte in den sechziger Jahren des 19. Jahrhunderts Tag für Tag durch die Altstadt. Er trug eine Mütze aus der Biedermeierzeit auf dem Kopf, blickte vor sich hin und roch beständig an einer frischerblühten Rose.

Einmal sprach ihn ein Herr an, der aus Neugier alle in Bremen geltenden Gesetze im Umgang miteinander über Bord geworfen hatte. Er fragte ihn ohne Umschweife, warum er denn unentwegt an einer Rose roch.

Der alte Herr lächelte leise und sagte: »Wenn Sie so viele Jahre in Schulklassen verbracht hätten, wie ich, stünde Ihnen auch der Sinn nach Rosen, die jedenfalls angenehm duften.«

Schabernack

In der Mitte des 19. Jahrhunderts befand sich an der Bischofsnadel eine kleine Krämerei, deren Geschäftsräume sich etwas unterhalb des Straßenniveaus befanden. Wer etwas kaufen wollte, mußte von der Straße aus zwei Tritte nach unten gehen, was man aber gern tat. Denn durch die kleinen Schaufensterscheiben erblickte man delikate Mettwürste, Schinken und Käse und – allerlei bunte Feuerwerkskörper, die eine Spezialität dieser Krämerei waren.

Eine »Spezialität« war aber auch der alte Krämer selbst, sagen wir lieber, er war ein Original. Er galt – vor allem bei der Jugend – als besonders knickerig, was er selbst natürlich, darauf angesprochen, als sparsame Geschäftspolitik empfand.

Die etwas größeren Kinder aber trieben ihren Schabernack mit dem Krämer, obwohl der ihnen eigentlich nichts getan hatte. Sie suchten und fanden alte und meist kaputte Flaschen, gingen damit an der Krämerei vorbei und warfen die Flaschen unmittelbar vor dem Ladenfenster entzwei.

Danach verstecken sie sich, um mit innerlicher Freude zu beobachten, wie der alte Geschäftsinhaber aus der Vertiefung seines Ladens trat, um sich zu überzeugen, ob eine seiner Fensterscheiben eingeschlagen worden war.

Die Kinder, die diesen Erfolg einmal verbucht hatten, versuchten immer wieder, dem alten Krämer diesen Streich zu spielen, und nachdem sie selbst aus dem Alter heraus waren, gaben sie den Streich an die jüngeren Kinder weiter.

Und obgleich dieser Schabernack dem Krämer unzählige Male gespielt worden war – sobald er Scherben vor seinem Laden klirren hörte, trat er stets mit ängstlich suchender Miene aus seinem Laden hervor, zum Vergnügen der jugendlichen Zuschauer.

Einmal wurde er von einem Kunden angesprochen. Der Kunde wollte wissen, warum er sich immer wieder von den splitternden Flaschen ins Bockshorn jagen lasse.

Der alte Krämer machte ein pfiffiges Gesicht und sagte: »Es ist für mich eine billige Methode, den Kindern ein Vergnügen zu bereiten.«

Hewwt Se Peymann nich sehn?

Peymann wohnte mit seiner Frau Fieke in einem etwas baufälligen Haus, das in einem Gang unweit des Schweinemarktes in der Neustadt stand.

Und obwohl die Sonne nur selten durch die kleinen Fensterscheiben in die Stube der Peymanns schien, hätten die beiden recht glücklich leben können. Denn sie mochten einander leiden, und wenn sich Herr Peymann auch nicht versagen konnte, der drallen Meta aus dem Hökerladen von nebenan gelegentlich in die verführerisch roten Wangen zu kneifen, Fieke lachte nur darüber. Sie wußte, daß ihr Mann harmlos war, und Meta lachte auch und dachte, laß doch den »ollen Keerl«.

Herr Peymann und seine Frau Fieke waren – wie man sich vorstellen kann – nicht unbedingt mit irdischen Gütern gesegnet, was ihnen aber nichts ausmachte. Der liebe Gott wollte das so. Und satt wurden sie immer.

Fieke Peymann brachte so manchen Pfennig mit nach Hause, weil sie es verstand, die Zukunft aus den Karten zu lesen. Und manche reiche Dame in der Altstadt war ganz scharf auf einen Blick in die Zukunft, den sie aber nur riskieren durfte, wenn ihr Mann nicht zu Hause war. Fieke Peymann kannte ihre Zeiten.

Herr Peymann aber war ein begnadeter Geigenspieler, der vor allem in den Neustädter Wirtschaften, in denen die Zigarrenmacher verkehrten, seine Musik zum besten gab. Die Zigarrenmacher verdienten gutes Geld, das sie auch gern ausgaben, nicht nur für Schnaps und Bier, sondern auch für Musik.

Unglückseligerweise jedoch litt Herr Peymann unter einem unstillbaren Durst, den er leider nur mit Schnaps bekämpfen konnte. Und obwohl die Zigarrenmacher Herrn Peymann nicht verdursten ließen, brauchte er immer noch einen »kleinen« überher. So mancher von Herrn Peymann in den Wirtschaften verdiente Groschen blieb gleich dort, und Fieke hatte am nächsten Morgen Anlaß, ihren Mann auszuzanken, was dem natürlich unangenehm war. Sie hatte ja recht.

Es war ein sonniger Apriltag in den vierziger Jahren des 19. Jahrhunderts. Peymanns waren nicht mehr die Jüngsten. Aber älter wurden andere auch, und die Peymanns nahmen das gelassen.

An diesem sonnigen Tag also mußte Frau Fieke am frühen Nachmittag Karten legen gehen. Mittags gab es ein recht gutes Essen. Danach verabschiedete sich Fieke, und kaum war sie aus dem Haus, holte Peymann seinen Schniepel – seinen Leibrock mit spitz zulaufenden Schössen – aus dem Schrank, bürstete seinen Hut sorgfältig ab, nahm seine Geige unter den Arm und zog auf den Swutsch.

Die Geige wurde ihm schon nach wenigen Schritten lästig. Er ging zu einem Branntweinbrenner in der Westerstraße, genehmigte sich ein paar Schluck, versetzte seine Geige bei dem Brenner. Er ging durch die Süderstraße, geriet ins Schlingern, indem er in mehreren Kneipen Guten Tag sagen mußte, und nahm schließlich Kurs auf die Wirtschaft von Landeskasper in der Annenstraße.

Bei Landeskasper verkehrte das fahrende Volk, dem sich Peymann verständlicherweise sehr verbunden fühlte. Musikanten waren darunter, Orgeldreher, Seiltänzer und andere Artisten.

Sonntags wurde dort meistens getanzt, und dann ging es hoch her. Das Geld saß locker, und Peymanns Taschen wurden schwer von den vielen Groschen, die ihm zugesteckt wurden.

An diesem Tag allerdings war es beim Landeskasper still. Der Wirt trieb sein Vieh auf die Weide. Die Wirtsfrau hielt ihren Mittagsschlaf. Das Dienstmädchen hatte heimlich das Haus verlassen und ging mit ihrem Liebsten, einem Soldaten, auf dem Neustadtswall spazieren.

Peymann saß mutterseelenallein in der Gaststube. Aber er kannte die Hausgelegenheit. Er schenkte sich aus einer gewaltigen Flasche, die auf dem Tresen stand, einen großen Klaren ein, dann noch einen und noch einige mehr.

Eine große Müdigkeit überkam ihn. Er setzte sich auf eine Bank – und das war das letzte, was Peymann zur Kenntnis nahm. Und es war das letzte, was man von Peymann gewahrte.

Landeskasper kam gegen sieben Uhr nach Hause. Wenige Minuten später betraten zwei Gäste die Wirtschaft und verlangten einen Klaren. Landeskasper wollten ihnen aus der großen Schnapsflasche einen einschenken. Aber die Flasche war nicht da.

Er fragte seine Frau nach dem Verbleib der Flasche. Doch die Wirtin hatte keine Ahnung. »Ick weet von nicks!«, sagte sie und schob die ganze Schuld auf Gesine, die – wie sie sagte – den ganzen Nachmittag aufgepaßt habe.

Gesine, die Verliebte und infolgedessen Pflichtvergessene, wurde befragt. Gesine war nicht auf den Mund gefallen. Sie log: »De Buddel hett hier vor tein Minuten noch stahn!«

Landeskasper verstand die Welt nicht mehr.

Fieke Peymann aber auch nicht.

Sie wartete bis abends spät auf ihren Mann, ging schließlich ins Bett und konnte nicht einschlafen.

Am nächsten Morgen stand sie früh auf, ging auf die Straße und fragte jeden, den sie traf: »Hewwt Se Peymann nich sehen?«

Sie fragte den Milchmann, sie fragte den Bäckerjungen, sie fragte jedes Dienstmädchen.

Sie stellte sich vor die Schule und fragte jeden Schüler.

Schließlich ging sie von Kneipe zu Kneipe.

»Hewwt Se Peymann nich sehen?«

Ja, in einigen Kneipen war er gewesen, beim Branntweinbrenner zum Beispiel, wo Fieke die Geige fand und auslöste.

Aber Peymann war verschwunden.

Und wie ein Lauffeuer ging es durch die Neustadt: »Wo is Peymann? Hewwt Se Peymann nich sehn?«

»Ja, ja«. meinte Landeskasper, der ein bißchen abergläubisch war, »mit Peymann is dat just so wie mit mienen groten Buddel. Se sind beide an'n hellichten Dage verswunden und kamt nich wedder. Wenn nu man nich de Welt unnergeiht!«

Die Tage gingen.

Am Dienstag war Peymann verschwunden.

Am Freitag morgen war er immer noch nicht gefunden worden.

Und Fieke Peymann konnte nicht anders. Sie ging auf die Straße, und wen sie traf, den sprach sie an: »Hewwt Se Peymann nich sehn?«

Und wen sie nicht traf, der wußte trotzdem Bescheid, und einer fragte den anderen: »Hewwt Se Peymann nich sehn?«

Am Freitag vormittag wurde Landeskaspers Stall ausgemistet. Der Stall sollte danach gründlich gereinigt und »gewittjet« werden, wie immer im Frühjahr, wenn das Vieh ausgetrieben war.

Der Mistbauer aus Stuhr hatte zunächst einmal gründlich gefrühstückt. Dann war er in den Stall gegangen, hatte sich die Forke geschnappt und zu arbeiten begonnen.

Plötzlich aber schrie es aus dem Mist: »Au, verdammt!«

Der Bauer erschrak, zog sich vorsichtshalber aus dem Stall zurück und benachrichtigte Landeskasper, der sich beherzt einer möglichen Lebensgefahr aussetzte, in dem er in den Stall ging und nach einiger Zeit eine Gestalt durch die Stalltür schob, die sich bei Licht betrachtet als – Peymann erwies.

Und als der Bauer aus Stuhr am Ende auch die große Schnapsflasche ans Licht brachte, wenn auch leer, meinte Landeskasper erleichtert: »Mien Klarenbuddel ist wedder da, Peymann ist wedder da. De Welt geiht nu doch nich unner!«

Der Ordnung halber sollte gesagt werden, daß Herr Peymann von seiner Fieke mit einem schallenden Kuß empfangen wurden, obwohl er nicht sehr gut roch.

Aber noch viele Jahre war es in der Neustadt üblich, daß sich die Neustädter mit der Frage begrüßten: »Hewwt Se Peymann nich sehn?«

Im 20. Jahrhundert

Gottlob Bünte
Gastwirt und Heimatdichter

Es war in den sechziger Jahren des 20. Jahrhunderts, als Heinz Stöver, der langjährige Werbeleiter des Niederdeutschen Theaters, selbsternannter Accisemeister und eines der letzten Bremer Originale, in einem Abstellraum des Theaters einige niederdeutsche Theaterstücke fand. Es waren handgeschriebene altbremische Stücke von Gottlob Bünte.

Stöver hatte Mühe, sich durch diese Theaterstücke hindurch zu lesen. Aber er fand sie recht amüsant und fing an, nach Autoren zu suchen, die eine Möglichkeit sahen, diese altbremischen Geschichten aus dem 19. Jahrhundert für die sechziger Jahre des 20. Jahrhunderts umzuschreiben.

Doch wem immer er sie gab, er bekam sie mit dem Ausdruck des Bedauerns zurück. Heute, nach mehr als hundert Jahren, wäre es sicherlich wünschenswert, daß wieder einmal ein Bediensteter des Niederdeutschen Theaters diese Theaterstücke fände. Heute wäre vielleicht die Zeit für eine Rückkehr der Stücke auf die Bühne.

Gottlob Bünte war berühmt als Dichter humorvoller plattdeutscher Couplets und lokaler Volksstücke, die bei den Bremern wegen ihres Bezuges auf aktuelle Stadtbegebenheiten sehr beliebt waren. Es waren Stücke, die aus dem Herzen eines Mannes geschrieben waren, der seine Heimat über alles liebte.

Und diese Stücke kamen an – vor allem bei den kleinen Leuten, mit deren Augen Gottlob Bünte das Leben sah. Dazu gehörte damals ein unverfälschtes Bremer Platt.

Gottlob Bünte stammte aus einer armen Familie. Er war am 15. November 1840 in der Neustadt geboren worden, in der Süderstraße. Sein Vater war ein Schuhmacher, der seinem Sohn keine besondere Ausbildung ermöglichen konnte. Er schickte ihn im Alter von zehn Jahren in eine Zigarrenfabrik, was dem kleinen Gottlob keineswegs gefiel. Lieber wäre er weiter zum Nachbarn Melchior Ernsting gegangen, der in der Neustadt eine Klippschule unterhielt. Gottlob mußte die Abendschule besuchen, wo er nur eine recht kümmerliche Bildung genießen konnte, zumal er abends, nach des Tages Arbeit, rechtschaffen müde war.

Doch Gottlob Bünte hatte einen klugen Kopf, und die Zeit bei den lustigen, aufgeweckten und für die Obrigkeit nicht immer angenehmen Zigarrenmachern ist ihm gut bekommen. Auch nach seiner Konfirmation blieb er bei ihnen und brachte es aufgrund seiner Tüchtigkeit bis zum Sortierer.

Danach allerdings zog es ihn in die Fremde. Er ging nach Westfalen, arbeitete vorübergehend am Rhein und war in Mainz als Werkmeister tätig. Dort machte er auch seine erste Bekanntschaft mit einem Liebhabertheater.

Gottlob Bünte trat dem Theater bei und war beim Publikum bald sehr beliebt, weil er »hübsch aufsagen« konnte, wie es später in einem Bericht der Bremer Nachrichten aus Anlaß seines 25. Todestages heißt.

Im Jahre 1866 schrieb Gottlob Bünte in Mainz sein erstes Volksstück. Es hieß »Die Invaliden von

Königgrätz«. Es war ein zeitgenössisches Stück, denn der preußisch-österrreiche Krieg mit der Entscheidungsschlacht von Königgrätz war noch, sozusagen, in aller Munde. Das Stück wurde ein Erfolg.

Im Jahre 1870 war Bünte wieder in Bremen. Er heiratete und wurde Gastwirt.

Zunächst übernahm er den Eisenbahn-Pavillion in der Schwachhauser Heerstraße. Heute trägt das Lokal den Namen Concordia. Schon dort fanden seine Couplets und seine scherzhaft vorgebrachten Bremer Tagesneuigkeiten dankbare Zuhörer.

An der Ecke Friesenstraße/Steintor eröffnete er später eine eigene Wirtschaft. Danach übernahm er ein Haus in der Römerstraße, das noch in den dreißiger Jahren als Büntesche Bierhalle betrieben wurde.

»Bremer Leben« hieß eines seiner Stücke, das dem Direktor Senger vom Tivoli-Theater in der Nähe des Bahnhofs so gut gefiel, daß er es auf seine Bühne brachte. Andere Stücke folgten: »Use Freemarkt« und »Ida Blitz, die Krone von'n Rolandsmarkt«, wobei jeder Bremer sofort wußte, um wen es sich dabei handelte.

1881 löste sich Bünte vom Tivoli-Theater und gründete eine eigene Bühne, das Bremer Volkstheater. Zunächst gastierte es in der Tonhalle an der Kleinen Helle, dann im Casino und seit 1896 in den Centralhallen gastierte. Zu Gastspielreisen fuhr man auch nach Vegesack und nach Bremerhaven.

Bünte hat insgesamt 88 Volksstücke geschrieben. Sein größter Erfolg war »Von den Matten up Stroh«, das weit über hundertmal aufgeführt wurde.

Noch acht Tage vor seinem Tode leitete er die Uraufführung seines letzten Stückes: »Die Heirat um die Wette oder Wohin treiben wir?«

Am Morgen seines Todestages im Jahre 1907 schrieb er noch eine Einlage für das Stück, die in scherzhafter Weise die Vorgänge bei der drei Tage vorher erfolgten Wahl des Senators Dr. Heinrich Meyer aufs Korn nahm.

~

Eine hübsche Geschichte über Gottlob Bünte hat Dr. Hanns Meyer in seinem Buch »Gastliches Bremen« erzählt:

In einem seiner Stücke kam auch das Bremer Original Heini Holtenbeen vor. Ein Witzbold hatte nun den echten Heini Holtenbeen ins Theater geschmuggelt, um zu sehen, wie der sich verhielt, wenn er sich auf der Bühne dargestellt sah.

Der Erfolg war umwerfend. Heini Holtenbeen geriet angesichts seines Doppelgängers in Wut und rief dem Schauspieler zu: »Du Oos, du wullt mi woll verulken!«

Da trat Gottlob Bünte vor die Rampe und wandte sich an den echten Holtenbeen. »Heini«, sagte er, »door bis d'du jo, wi heeft di öberall socht un nich fun'n, dorher moß doch een anndern for di späl'n. Kumm rupp, wenn du Couraje hest.«

Heini Holtenbeen schwieg verdutzt und verschwand aus dem Theater.

Automobilzeitalter

Am 23. Mai 1902 erhielt die Polizei-Direktion Bremen einen überaus bemerkenswerten Brief, der im folgenden wiedergegeben werden soll:

»Ich bin der Besitzer eines Automobiels, welches ich zum Besuch meiner Kundschaft gebrauche. Es wird mir aber mitgeteilt, daß es nicht in Bremen erlaubt ist, ein Fuhrwerk ohne Pferde vorgespannt auf der Straße stehen zu lassen. Da ich dieses natürlich nicht thun kann, frage ich, ob es nicht erlaubt werden kann, meinen Wagen vor der Thür stehen zu lassen.«

Freundlicherweise bot der Herr Automobilbesitzer der Bremer Behörde an, er könne auch, wenn dieses gewünscht werde, einen »Mann die ganze Zeit dabei stehen haben«, und er versicherte: »Die Kraft wird vollständig abgedreht, und es ist absolut ausgeschlossen, daß etwas passieren kann.«

Er habe, so schloß der Automobilbesitzer, seinen Wagen bereits einige Jahre in Berlin und Hamburg benutzt, ohne auf irgendwelche Schwierigkeiten gestoßen zu sein.

Selbstverständlich wollten auch die Bremer Beamten dem Automobilbesitzer keine Unannehmlichkeiten bereiten. Aus einer Randnotiz jedenfalls geht hervor, daß dem zuständigen Beamten bei der Lektüre dieses Briefes die Gewißheit kam, er dürfe mit Rücksicht auf seinen Nachruhm keine Bedenken gegen ein abgestelltes Automobil mit vollständig abgedrehter Kraft geltend machen und nicht etwa die Forderung erheben, der Herr Automobilbesitzer müsse ein Pferd vor das Auto spannen, wenn er es irgendwo abzustellen wünsche.

Mit seinem kühnen Entschluß, in Bremen das Abstellen eines Automobils ohne Pferdegespann am Straßenrand grundsätzlich zu gestatten, hat der Beamte die Bremer hundert Jahre später um eine hübsche Pointe gebracht.

Eine Auflage allerdings wurde dem Automobilbesitzer erteilt, die er auch angeboten hatte: Sein Auto sollte im abgestellten Zustande stets von einem Manne bewacht werden.

Hätte diese Auflage die hundert Jahren überstanden – es gäbe heute keine Arbeitslosen.

Fremdsprache

Altmanns – Lederne Hosen und Handschuhe – aus der Pelzerstraße, hatten eine Haushälterin engagiert, die sich in den Bremer Wöchentlichen Nachrichten empfohlen hatte als »honette Person, welche französisch, malayisch, holländisch und deutsch spricht«.

Die Angelegenheit war, wie man sich denken kann, in der Nachbarschaft ausführlich und nicht ohne Neid erörtert worden, und es versteht sich, daß man allgemein sehr gespannt war auf die Erfahrungen der Altmanns mit einer so sprachgewandten jungen Dame.

Frau Abbeg, die Gattin von Johann Friedrich Abbeg, dem Tabakfabrikanten aus der Knochenhauerstraße, fiel die Aufgabe zu, hierüber nähere Erkundigungen einzuziehen. Und dagegen hatte sie auch nichts einzuwenden.

»Na, Frau Altmann«, fragte sie eines morgens, »wie ist das denn nun mit ihrer neuen Haushälterin? Erzähl'n 'Se doch mal!«

Frau Altmann zog ein säuerliches Gesicht und signalisierte mit einer entsprechenden Handbewegung, daß dieses Thema für sie inzwischen schon lange wieder erledigt sei.

»Zuerst«, sagte sie, »waren wir ja alle sehr zufrieden mit ihr, denn deutsch sprach sie auch, und das war das wichtigste. Ihr Holländisch hörte sich an wie Bremer Platt, was bei uns zu Hause viel gesprochen wird. Und als wir unlängst einen Geschäftsfreund aus Frankreich bei uns hatten, nahm sie ihren freien Tag. Und was mein Mann ist, dessen Französisch ist man so lá lá.«

Am schlimmsten aber war es, wenn sich unsere neue Haushälterin über uns geärgert hatte. Dann sprach sie malayisch, was wir nicht verstehen können.

Aber sie schimpfte bei solchen Gelegenheiten so laut, daß die ganze Nachbarschaft mithören konnte – auch der alte Piepenbrink, und der soll wohl mal in seiner Jugend in Malaka gewesen sein.«

»Der alte Piepenbrink?« wunderte sich Frau Abbeg. »Aber der kann doch gar nicht mehr hören.«

»Eben«, sagte daraufhin Frau Altmann. »Wir kennen das von unserem schwerhörigen Großvater. Was der nicht hören soll, das versteht er.«

Zu gewagt

Normalerweise gehörte der Herrenschneider Heinrich Huckelberg zu den allseits geschätzten Vertretern seiner Zunft. Leider war er nicht mehr ganz so jung. Und um es deutlich zu sagen, er befand sich bereits im Rentenalter, konnte sich aber von seiner Werkstatt nicht trennen. Das fiel ihm umso schwerer, da er keinen Nachfolger hatte, dem er das Geschäft übergeben konnte – in der stillen Hoffnung, dann und wann noch gebraucht zu werden. Heinrich Huckelberg, der nach alter Väter Sitte im Schneidersitz auf seinem Werkstatttisch saß, hatte sich eben damit abgefunden, in den Sielen zu sterben.

Leider aber ließen seine Augen ein bißchen nach, und das fand auch Frau Papendiek, Gemahlin des Kaufmannes Eduard Papendiek, der seine Anzüge bei Huckelberg schneidern ließ und auch jetzt wieder mit einem Anzug nach Hause kam. Der wurde von Frau Papendiek kritisch begutachtet – und die sagte zunächst gar nichts, was Eduard Papendiek irrtümlich für ein unausgesprochenes Lob hielt.

Schließlich und mit nur 24 Stunden Verspätung meinte Frau Papendiek mit etwas mokanter Stimme: »Huckelberg hat doch deine Maße, nicht wahr?«

»Seit vielen Jahren«, bestätigte Herr Papendiek.

»Und warum«, fuhr Frau Papendiek fort, »schneidert er dir ein Sakko, der auf mindestens dreißig Kilo Gewichtszunahme zugeschnitten ist – speziell in Nabelhöhe?«

Herr Papendiek guckte an sich hinunter. Und da sah er das auch, daß das Sakko nicht besonders gut geschnitten war.

Frau Papendiek, die schon lange einen Piek auf Huckelberg hatte, sagte kategorisch: »Eduard, da gehst du nicht mehr hin. Wir kaufen jetzt von der Stange.«

Eduard Papendiek war damit natürlich überhaupt nicht einverstanden. Aber mach mal was gegen die Anordnungen deiner Frau?

Eduard kapitulierte, weil ihm auch gar nichts anderes übrig blieb, und er gewann der neuen Situation auch eine angenehme Seite ab. Denn fortan ersparte er sich die oft als lästig empfundenen Wege zum Schneider. Und weil es ihm ein bißchen genierlich war, in einem öffentlichen Geschäft einen Anzug anzuprobieren, ging Frau Papendiek dazu über, die Anzüge für ihren Mann nach Augenmaß zu kaufen. Das gelang ihr auch im allgemeinen ganz gut, wobei hinzugefügt werden muß, daß Eduard Papendiek über eine Figur verfügte, die sich durch keinerlei Unebenheiten von der normalen Größe 50 unterschied.

Mit zunehmendem Alter jedoch traten auch bei Eduard Papendiek Veränderung ein, die bereits Heinrich Huckelberg, der schon lange tot war, vor vielen Jahren vorausgesehen hatte, und Frau Papendiek meinte eines Tages: »Eduard, du brauchst einen neuen Anzug.«

Eduard Papendiek reagierte verständnislos. »Warum sagst du mir das?« fragte er und erhielt den Bescheid, daß von ihm diesmal eine unmittelbare Beteiligung an dem Kaufvorgang erwartet werde.

»Größe 50 paßt dir nicht mehr«, sagte Frau Papendiek, »auch wenn du jetzt deinen Bauch einziehst. Es nützt nichts, du mußt mit!«

»Wer? Ich?« fragte Eduard Papendiek entsetzt. Und nachdem er einen Augenblick verdattert geschwiegen hatte, sagte er: »Nee, Mathilde, das schlag dir man aus dem Kopf. Ich geh' da nicht mit hin. Nachher paß ich das an, und dann sitzt es auch. Und zu Hause sitzt es dann nicht mehr, und nur, weil ich im Laden vielleicht schief gestanden habe oder keine Ruhe hatte, den Anzug richtig anzuprobieren. Und dann habe ich Ärger mit dir, Mathilde, und den will ich mir doch lieber erspar'n.«

Fahrgeld

Sehen Sie, es ist ja heutzutage so, daß es für viele
Leute darum geht, so schnell wie möglich reich zu
werden, sagen wir mal, von heute auf morgen, Das
gelingt auch manchen, und daß Glückspieler, die
man nach jiddischem Sprachgebrauch Zocker
nennt, bewundert werden, versteht sich von selbst.
Natürlich wird das Geld in vielen Fällen auch
möglichst schnell wieder ausgegeben.

In dieser merkwürdigen Welt ist für Leute wie
Herrn Bremermann kein Platz.

Aber Herr Bremermann ist auch schon lange
tot. Er wurde aber in einem Gespräch mit einer
seiner früheren Mitarbeiterinnen wieder lebendig.

Zwischen damals, als diese Dame im Arbeits-
und Gehaltsverhältnis zu Herrn Bremermann gestanden hatte, und dem Zeitpunkt des Gesprächs,
liegt ein ganzes Leben. Denn die Dame war damals
noch ein junges Mädchen, was sie – bei allem Re-
spekt – nicht mehr ist und auch gar nicht mehr
sein will.

Sie erinnerte sich an ein Gespräch mit Herrn
Bremermann, das sie begonnen hatte, indem sie
ihn fragte, warum er, der in der Bremer Innenstadt
seinen Geschäften nachging, den Weg von zu Hause
ins Büro und zurück stets zu Fuß zurücklegte.

Herr Bremermann wohnte am Neustadtswall,
und es wäre für ihn sehr bequem gewesen, mit der
Straßenbahn zu fahren, was ihm die junge Dame
auch klar zu machen versuchte. Von einem Auto
war allerdings nicht die Rede.

Herr Bremermann nickte und sagte: »Da haben Sie recht, min Deern. Es ist sicherlich bequemer mit der Bahn zu fahren als zu Fuß zu gehen, obwohl es dem Menschen nicht in die Wiege gelegt worden ist, immerzu mit der Bahn zu fahren. Der liebe Gott hat ihm ja zwei Beine gegeben. Und dennoch nehme ich mir jeden Tag das Fahrgeld für die Bahn mit. Für die Fahrt morgens ins Geschäft, für die Fahrt mittags nach Hause, dann wieder ins Geschäft zurück und abends nach Hause.«

Herr Bremermann machte eine kleine Pause, ehe er fortfuhr: »Das Fahrgeld trage ich immer in der rechten Westentasche bei mir. Und wenn ich eine Fahrt gespart habe, weil ich zu Fuß gegangen bin, wandert es in die linke Westentasche, und abends kommt es in eine Kassette. Und am Ende eines Monats, gehe ich zur Sparkasse und bringe das Geld auf ein Sparkonto. Und so, min Deern«, beendete Herr Bremermann das Gespräch, »kommt man zu was!«

Mutterkreuz

Frau Espersen aus Habenhausen, die nun auch nicht mehr lebt, erzählte gern eine Geschichte aus dem Stephaniviertel der dreißiger Jahre des 20. Jahrhunderts.

Sie müssen wissen, daß Frau Espersen in den sechziger Jahren immer sonnabends Kräuter auf dem Domshof verkaufte. Ihr Stand war so eine Art Treffpunkt, wo man sich auch kostenlos Ratschläge geben lassen konnte, zum Beispiel, wenn es um das Einlegen frischer Gurken ging.

Und meistens stand ihr Mann dabei. Er trug einen grünen Hut und steckte voller Schnäcke.

Herr Espersen war in der Steffensstadt aufgewachsen, die ja im Zweiten Weltkrieg völlig zerstört wurde, und hatte von dort viele Geschichten mitgebracht.

Etwa die von Mutter Schuhmacher, die die Lieblingsgeschichte von Frau Espersen war.

Mutter Schuhmacher sass an einem Sonntagnachmittag im Mai des Jahres 1936 zusammen mit anderen Nachbarinnen bei Oma Riethmüller zum Kaffee. Dazu gab es Butterkuchen, den Oma Riethmüller ganz besonders gut backen konnte.

Mit einem Male klingelte es an der Wohnungstür.

Willy, Frau Riethmüllers Pflegesohn, ging mal eben gucken.

Draußen stand ein »Goldfasan«, wie die nationalsozialistischen Parteibonzen wegen ihrer goldbraunen Uniform im Volksmund genannt wurden.

Er fragte, ob Frau Schuhmacher da sei.

Willy musterte den Bonzen ein bißchen mißtrauisch, denn mit den Nazis hatte man in der Steffensstadt nicht viel im Sinn. Doch Willy sagte: »Ja, Frau Schuhmacher ist bei uns.« Und er bat ihn höflich ins Haus hinein.

Der »Goldfasan« stellte sich den versammelten Nachbarinnen vor und fragte nach Mutter Schuhmacher. Die wiederum fragte mit skeptischem Blick zurück: »Wat wüllt Se denn von mi?«

Der Uniformierte wurde offiziell.

»Frau Schuhmacher«, sagte er, »ich will Ihnen im Namen unseres Führers Adolf Hitler das Mutterkreuz verleihen.«

»Wat wüllt Se?« fragte Mutter Schuhmacher fassungslos.

Der Mann erklärte ihr: »Sie haben doch sieben Jungs großgezogen. Da steht Ihnen diese Auszeichnung zu!«

Aber da kam er schlecht an bei Mutter Schuhmacher, deren Mann sehr früh gestorben war. Sie hatte ganz allein ihre sieben Jungs großgezogen. Inzwischen allerdings standen sie auf eigenen Füßen, und jeder von ihnen war etwas Ordentliches geworden.

Dennoch fing Mutter Schuhmacher an, in Anwesenheit des »Goldfasans« zu schimpfen. Sie meinte, am liebsten würde sie den einen der Jungen nehmen und die anderen damit verhauen.

Sie sagte: »De hebbt ordentlich wat lehrt und verdeent ehr Geld. Aber wat is mit mi? Mi fallt die Kalk in 'ne Pann. Doch het nüms nich Tiet und witschet mi mol de Deeken. Go mi doch los mit den Kinners!« Sprach's, setzte sich, nahm ein Stück Butterkuchen und kümmerte sich nicht mehr um den Parteibonzen, bei dessen Anblick ihr der Kalk eingefallen war, der ihr von der Decke in die Pfanne fiel.

Sie hatte auf ihre Jungs geschimpft, auf die sie eigentlich sehr stolz war.

Aber sie hatte die Jungs auch nicht gemeint, sondern den »Keerl von der Partei«.

Denn sich dafür, daß sie die Jungs großgezogen hatte, von wildfremden Leuten, die sie nicht einmal sympathisch fand, mit einem Mutterkreuz ehren zu lassen, das ging ihr gewaltig gegen den Strich.

Einsam

Drei Geschichten waren es, die Großmutter Bädeker ihren Enkeln zu gegebener Zeit und bei passender Gelegenheit immer wieder mit eindrucksvollen Worten erzählte.

Da war zunächst die Sache mit dem kleinen Hohenzollern-Prinzen, der beim Wackeln mit dem Stuhle nach hinten hinübergefallen und so unglücklich mit dem Kopf aufgeschlagen war, daß er auf der Stelle sein junges Prinzenleben ausgehaucht hatte.

Und wenn so etwas schon in einem feinen Speisezimmer eines Schlosses und dazu einem leibhaftigen Prinzen passieren konnte, wie gefährdet waren dann erst die Enkel von Großmutter Bädeker, die ja in einer ganz gewöhnlichen Küche mit dem Stuhle wackelten?

»Kinners, laßt das Wackeln sein!«

Die zweite Geschichte betraf die kleinen Kinder in Indien, die in Pappkartons schlafen mußten und sicherlich froh gewesen wären, wenn sie um neun Uhr abends in ein so schönes Bett hätten gehen dürfen, wie die Enkel eines besaßen.

Es war jedenfalls sehr undankbar, abends um neun Uhr Widerworte zu haben, wenn es hieß: »Jetzt ist aber höchste Zeit, ins Bett zu gehen.«

Und die dritte Geschichte handelte von einem Kind, das mutterseelenallein in einem einsam mitten im Wald stehenden Haus lebte oder gelebt hatte und etliche Schrecknisse erlebte, wie man sie eben in einem Wald erleben kann.

Es wimmelte dort jedenfalls von Ungeheuern scheußlichen Hexen, hinterhältigen Zauberern und feuerspeienden Drachen, die alle zusammen darauf aus waren, kleine Kinder in ihre Gewalt zu bringen und sie gegebenenfalls zu verspeisen.

Was das Wackeln mit dem Stuhle betrifft, so haben die Enkel von Großmutter Bädeker es trotz des abschreckenden Vorbildes niemals bleiben lassen. Erst im vorigen Jahr – Jahrzehnte nach Großmutter Bädekers Tod – ist einer von ihnen in seinem Arbeitszimmer wackelnderweise mit dem Stuhle umgekippt, ohne daß dieses allerdings irgendwelche böse Folgen nach sich gezogen hätte. Man lernt ja im Laufe der Jahrzehnte, mit seinen Dummheiten umzugehen.

Zu der Geschichte mit den in Pappkartons schlafenden kleinen Indern kam im Jahre 1945 eine neue Variante. Damals waren es auf der Flucht befindliche kleine Deutsche, die nicht einmal mehr einen Pappkarton zum Schlafen hatten. Daraus lernt man, daß sich kein Mensch in der Sicherheit seines Wohlstandes wiegen sollte.

Die dritte Geschichte aber, die von dem einsamen Kind im Walde, hat keine Pointe. Großmutter Bädeker wußte auch keine. Sie war nie in ihrem Leben einsam gewesen und hatte, da sie sehr couragiert war, keine Angst vor scheußlichen Hexen, hinterhältigen Zauberern und feuerspeienden Drachen. Aber sie kannte Hein Sonntag, und der lieferte ihr schließlich eine passende Pointe.

Hein Sonntag sah nämlich aus wie ein bekümmerter Seehund. Er war früher als Bootsmann zur See gefahren. Aber dann wollten die Augen nicht mehr, und Hein Sonntag wollte, ehrlich gesagt, auch nicht mehr. Er hatte seinen Seesack gepackt und war an Land gegangen.

Dort hatte er ungezählte Freunde. Kollegen von einst, Nachbarn, Skat- und Kegelbrüder und sogar Verwandte, mit denen er sich vortrefflich verstand.

Doch einmal, an einem Heiligabend, hatten sie ihn alle vergessen.

Keiner hatte daran gedacht, Hein Sonntag, der ja ganz allein in seiner Wohnung lebte, zu sich nach Hause einzuladen. Und als sie, einer nach dem andern, hinterher mit schlechtem Gewissen bei ihm aufkreuzten und jammerten: »Mensch, Hein, hättest man was gesagt!«

Da fragte Hein Sonntag: »Was denn?«

Und sie fragten: »Was hast du denn über Weihnachten so gemacht?«

Und Hein Sonntag antwortete: »Kinners, ich will euch mal was sagen. Ich hab' Weihnachten in der allerbesten Gesellschaft verbracht, die ich mir denken kann, nämlich – in meiner. Und ich bin der einzige, in dessen Gesellschaft ich mich in meinem ganzen Leben noch keine Sekunde gelangweilt habe.«

Da sind die anderen alle ein bißchen nachdenklich geworden.

Die Obstbude von Dora Weber

Die Obstbude von Dora Weber stand auf dem Markt-platz, und wenn Bürgermeister Wilhelm Kaisen auf dem Balkon des Rathauses frische Luft schnappte, rief er hinunter: »Huhu, Dora!«

Und Dora winkte zurück und rief: »Huhu, Wil-lem!«

Später ist Dora Weber umgezogen und hat jah-relang neben dem jungen Siebcke auf dem Lieb-frauenkirchhof gestanden. Siebcke ist inzwischen auch nicht mehr der Jüngste und hat – wie Dora Weber – seine Obstbude zum Leidwesen seiner Kunden aufgegeben.

Eugenia Berthold, die Tochter von Dora Weber, war von 1923 bis 1963 im Geschäft ihrer Mutter tätig.

Als junge Deern mußte sie morgens um vier Uhr aufstehen und nach Arsten gehen – Erdbeeren ho-len. Die trug sie mit einem Joch, vier Körbe rechts und vier Körbe links, und jeder Korb wog zehn Pfund. Und dann den ganzen Weg zu Fuß.

»Einmal«, erzählte sie, »bin ich unterwegs umge-kippt. War auch'n büschen viel. Aber ich bin gleich wieder aufgestanden. Der Groschen, den ich für den Weg bekam, lockte.

Eugenia Berthold wurde in Findorff im Souter-rain geboren.

Ganz früh schon, als Kind, hat sie sich in der grünen Obstbude ihrer Mutter hinter dem Tresen die Finger an der Feuerkieke gewärmt, die Vadder aus einer alten Rollmopsdose gebastelt hatte.

Die kleine Eugenia mußte Pampelmusen zu Fräulein Roselius bringen. Das war die Tochter vom alten Roselius, der die Böttcherstraße hat bauen lassen.

Gelegentlich mußte sie Fisch-Lucie helfen, wenn die mal zusätzlich zwei kräftige Hände zum Zupacken brauchte. Mit dem Mundwerk kam Fisch-Lucie allein zurecht.

Auf dem Freimarkt hatten die Webers auch einen Stand. Eugenia mußte den ganzen Tag Kokosnüsse aufschlagen und gleichzeitig Verkaufsgespräche führen.

»Beste Kokosnüsse!« rief sie. »Tüte für fünf Pfennig!«

Einmal hatten die Webers einen Stand beim Norddeutschen Lloyd an der Gustav-Deetjen-Allee, mitten im Winter. Eugenia mußte von morgens bis abends in der Kälte stehen, und keiner fragte: »Hast du auch kalte Füße?« Und selbst wenn jemand gefragt hätte, wären die Füße trotzdem immer noch kalt gewesen.

Aber der Postbote brachte ihr so gegen Abend immer das Mittagessen vorbei. Das hatte ihm Mutter Dora für sie in die Hand gedrückt. Er trug das Mittagessen unter seiner Pellerine.

Und dann hieß es: »Eugenia, geh mal nach'n Stavendamm, kucken, was die Bananen machen!«

Am Stavendamm, unten in einem Keller, wurden die Bananen reif gemacht – mit einer Karbidlampe und mit Kerzen.

Das waren die kleinen kanarischen Bananen, die es heute nur noch selten gibt – obwohl es die einzigen Bananen sind, die so richtig nach Bananen schmecken.

Zwischendurch mußte Eugenia ihre kleinen Geschwister wickeln – ein Gör nach dem anderen.

Während sie das alles so erzählte, zog sie eine Zeitschrift aus der Tasche. Das etwas abgegriffene Titelbild der Zeitschrift zeigte den Hohenzollernprinzen Louis Ferdinand.

»Den hab' ich auch bedient«, erzählte sie. »Das war mein Kunde. Der stand vor unserer Bude und wollte Bananen kaufen – für seine sechs Kinder.«

Eugenia, die sonst immer plattdeutsch sprach, dachte: Du kannst doch nich mit'm richtigen Prinzen platt schnacken.

Sie fragte ein bißchen geziert: »Soll ich die Bananen einpacken?«

Der Prinz antwortete: »Nee, min Deern, lat dat man. De ward hier glieks upeeten.«

Daraufhin haben die sechs Hohenzollernkinder hinter dem Roland gestanden und die Bananen weggeputzt.

Das waren so die Höhepunkte im Leben der Händlerschen Eugenia Berthold.

Wenn sie später mit alten und neuen Freunden bei Kaffee und Kuchen in der Altentagesstätte Am Haferkamp saß, bei Kerzenschimmer und gemütlich warm, dann kam sie wohl ins Simulieren.

Sie meinte dann, daß es ihr alles in allem in ihrem Leben ziemlich schidderig gegangen sei.

»Aber«, sagte sie, »schön war es doch«.

Und ihre Augen duldeten keinen Widerspruch.

Zu spät

Eigentlich hatte Reinhold Finke den Tag der Vollendung seines dreißigsten Lebensjahres auf sich beruhen lassen wollen. Denn obwohl er seit einigen Jahren wohlbestallter Beamter in der Finanzverwaltung war und auch von zu Hause aus keineswegs mit Armut geschlagen, war er doch ein bißchen »gnietschig«. Vor allem wenn es darum ging, für den freundlichen Teil des Lebens ein paar Mark auf den Kopf zu hauen.

Und mit ein paar Mark für ein oder zwei Runden im Clubhaus seines Sportvereins würde er sich diesmal nicht aus der Affäre ziehen können.

Denn Reinhold Finke wurde nicht nur dreißig. Er war obendrein noch unbeweibt, und seine Freunde und Clubkameraden hatten schon Wochen vorher auf das bevorstehende Ereignis angespielt. Der ganze Club wußte Bescheid, daß Reinhold Finke die Domtreppen fegen müsse – wie das in Bremen so üblich ist – und noch ehe Reinhold Finke selbst sich über das Unausweichliche dieser Tatsache so richtig im Klaren war.

Am Tage seines Geburtstages las er beim Frühstück zu seinem nicht geringen Schreck folgenden schönen Vers im Weser-Kurier:

»Wir laden alle ein, zum Dom zu kommen,
denn unser Reinhold Finke feget da
die Treppen, weil er 30 Jahr

und bis zur Stunde keine Frau genommen.
Es gibt auch was zu trinken.
Die Rechnung geht an Finken!«

Wir wollen hier nicht die Qualen und Aufregungen
schildern, denen das unglückselige Geburtstagskind
in den folgenden Stunden ausgesetzt war.

Nur soviel sei gesagt, Reinhold Finke machte gute
Miene zu dem aus seiner subjektiven Betrachtungs-
weise außerordentlich bösen Spiel.

Und als man nun nach der Zeremonie am Dom
und dem erlösenden Kuß, mit Drehorgelmusik und
in ausgelassener Stimmung gemeinsam zum Clubhaus des Sportvereins zog, um sich dort – selbstverständlich auf Kosten des Jubilars – ordentlich die
Nasen zu begießen, da war Reinhold Finkes Wider-
standskraft ohnehin längst gebrochen. Er ließ sich
treiben und tröstete sich mit der von ihm sehr ge-
liebten »Eiswette«, wobei er den Gedanken verdräng-
te, daß er es war, der diesmal zahlen mußte.

Eine Clubkameradin namens Anita hatte sich von
Anfang an sehr intensiv und mit außergewöhnlicher
Fröhlichkeit an dem Treiben um Reinhold Finke
beteiligt. Sie war den ganzen Abend über in der Nähe
des Geburtstagskindes geblieben, nachdem sie ihm
bereits am Dom den erlösenden Kuß eines unbe-
scholtenen Mädchens gegeben hatte.

Sie hatte mit ihm angestoßen, ihn auf die Tanz-
fläche gezerrt und war ihm auch sonst derart auffäl-
lig um den Bart gegangen, daß über ein vielsagen-
des Grinsen der Anwesenden hinaus, bereits die ersten Wetten abgeschlossen wurden.

Und so konnte es sich denn auch einer der Freunde Reinhold Finkes am nächsten Tag nicht verkneifen, den inzwischen wieder nüchternen – wenn auch aus ihm unerklärlichen Gründen unter Kopfschmerzen leidenden – Reinhold Finke auf die Ereignisse der vergangenen Nacht anzusprechen. Er fragte ihn ganz direkt: »Na, Anita, die hat es wohl gewaltig auf dich abgesehen, was? Da können wir uns wohl schon auf eine Hochzeit einrichten!«

Reinhold Finke hatte zunächst etwas Mühe, den Sinn dieser Frage zu erfassen.

Dann allerdings staunte er. »Ach«, meinte er. »Anita hat es auf mich abgesehen? Das habe ich gar nicht gemerkt.« Und er fügte hinzu: »Aber das ist ja nun auch zu spät. Das Domtreppenfegen ist mich teuer genug gekommen. Da kann ich doch nicht auch noch'ne Hochzeit bezahlen.«

Rasur

Herr Papendiek traf Herrn Tünnermann auf der Straße.

Herr Tünnermann, sonst ein fröhlicher Mensch, wirkte etwas verstört.

»Was ist denn mit Ihnen los?« fragte Papendiek.

Zunächst sagte Herr Tünnermann: »Nix!« Aber dem forschenden Blick des Herrn Papendiek konnte er doch nicht standhalten.

»Stellen Sie sich vor«, sagte er. »Seit Jahrzehnten habe ich mich trocken rasiert und bin damit recht zufrieden gewesen. Doch von einem Tag zum anderen fand ich mich mit meiner Trockenrasur entsetzlich – genau genommen fand ich mich unrasiert. Ich mochte mich nicht mehr leiden. Daraufhin suchte ich eine Drogerie auf, erklärte der jungen und hübschen Verkäuferin meine Sorgen, und die junge Dame sagte, das sei nicht schlimm, ich könnte mich ja naß rasieren.«

»Soweit kann ich noch folgen«, sagte Herr Papendiek.

»Das ist gut«, erwiderte Herr Tünnermann, und er fuhr fort, Herrn Papendiek auseinanderzusetzen, wie er mit der jungen und hübschen Verkäuferin ein Verkaufsgespräch geführt hatte. »Denn«, sagte Herr Tünnermann, »man braucht zum Naßrasieren einen Pinsel, natürlich nicht den billigsten. Man braucht Rasierseife, die zur Haut paßt und entsprechend duftet. Man braucht einen Rasierapparat, der den Anforderungen der Zeit entspricht. Und man braucht Rasierklingen, die zu dem Rasierapparat passen.«

»Außerdem braucht man Pflaster«, gab Herr Papendiek zu bedenken.

»Meinetwegen«, sagte Herr Tünnermann. »Das fällt einem aber erst ein, wenn man sich geschnitten hat, und es wirklich braucht. Also, Pflaster habe ich zunächst nicht gekauft. Ich habe mir alles einpacken lassen und bin damit nach Hause gegangen. Am nächsten Morgen, ich war ein bißchen aufgeregt, habe ich mich zum ersten Mal in meinem Leben naß rasiert.«

»Und – wie war's?«

»Wundervoll!« rief Herr Tünnermann. »Ein ganz neues Lebensgefühl!«

»Und warum sind Sie verstört?« fragte Herr Papendiek.

»Ach, wissen Sie«, sagte Herr Tünnermann. »Ich war so begeistert von diesem neuen Lebensglück, daß ich noch am selben Tage in die Drogerie gegangen bin. Ich habe die junge und hübsche Verkäuferin angesprochen, habe von meiner Erfahrung berichtet und habe sie spontan aufgefordert: ›Fühlen Sie, wie glatt mein Gesicht ist. Wie ein Kinderpopo!‹«

»Und? Hat sie gefühlt?«

»Ja, sie hat gefühlt«, sagte Herr Tünnermann.

»Und wo liegt das Problem?« fragte Herr Papendiek.

Herr Tünnermann sagte: »Meine Frau war dabei!«

Fahne und Flagge

Was ist der Unterschied zwischen einer Fahne und einer Flagge?

Der Unterschied ist, um das mal so ganz klar zu sagen, rein rechtlicher Natur!

Die Fahne ist - wie der aus Bremerhaven stammende Seeschriftsteller Dr. Arnold Rehm vor vielen Jahren auf der »Europa« vom Norddeutschen Lloyd formulierte - ein »heraldisches Individuum«.

Die Fahne ist einmalig. Geht sie unter, ist alles kaputt.

Die Flagge ist ein vertretbares Symbol, das bei Verlust ersetzt werden kann.

Geht die Flagge unter, holt sich der Bootsmann bei der Ausrüstungsabteilung der Reederei eine neue.

Aber gerade ein Bootsmann, der schon jahrzehntelang zur See fuhr, zuletzt auf der »Steuben« vom Norddeutschen Lloyd, hat mal einem jungen Schiffsjungen den Unterschied zwischen Fahne und Flagge etwas anders erklärt.

»Kuck mal, min Dschung«, sagte er. »Was da am Bug flattert, das is'ne Flagge - und zwar, weil wir dscha'n Bremer Schiff sind, die Speckflagge.«

Er machte eine etwas längere Pause und setzte seine Erläuterungen fort: »Aber als der 2. Steuermann heute morgen aus seiner Kammer kam, hast dscha selbst erlebt, da hatte er - kann dscha mal vorkomm' - nich etwa'ne Flagge. Der hatte eine Fahne - Dschunge, Dschunge!«

Hein Mück

Symbolfigur der Bremerhavener war und ist Hein Mück - ein weltbefahrenen dschungen Mann im Matrosenanzug und egalweg gut gelaunt, der alle Häfen kannte und dort - wie man wußte und wie es auch in einem Lied heißt - überall eine Braut hatte.

»Laß ihn doch«, sagte Frau Lisbeth Petersen, die Frau von Kapitän Petersen. »Als mein Mann dschung war und mich noch nich kannte, hatter auch wohl in dscheden Hafen eine Braut zu sitzen gehabt. Heute hatter dascha nich mehr nötig. Heute hatter mich.«

Kapitän Petersen, der zufällig an Land war und Zeuge dieser schwerwiegenden Aussage wurde, grinste still in sich hinein, was aber bloß sein alter Freund Otto Wettering sah. Und der schwieg still.

Sterne

Der Lloyddampfer »Steuben« befand sich während einer Mittelmeerkreuzfahrt, die in Bremerhaven begonnen hatte, an der spanische Küste, und einige der Passagiere hatten abends an der Bar das Gefühl, daß das Schiff besonders langsam fuhr.

»Muß das denn wohl sein?«, fragte sich und ihren Begleiter eine etwas aufgetakelte Dame.

Der Begleiter wußte das auch nicht. Und Arnold Rehm, der als Reiseleiter auf der »Steuben« fuhr und Zeuge des Gesprächs war, schwieg still. Er dachte: Wie das wohl ausgeht.

Er brauchte nicht lange zu warten, denn die Dame beschloß auf der Stelle, dem Kapitän die Leviten zu lesen.

Sie begab sich auf die Brücke und redete, wie Rehm später erfuhr, den Kapitän ohne weitere Umstände an: »Sagen Sie mal, Herr Kapitän, warum fährt das Schiff so langsam. Ist irgendetwas nicht in Ordnung?«

»In Ordnung schon«, meinte der Kapitän und guckte ungerührt weiter durch den Kieker. »Leider«, fügte er hinzu, »können wir nicht richtig gucken. Es ist ein bißchen neblig.«

»Neblig?«, fragte die Dame. »Kann ich nicht finden. Gucken Sie mal in den Himmel. Da können Sie doch die Sterne sehen.«

»Da haben Sie recht«, meinte der Kapitän seelenruhig. »Aber zu den Sternen fahren wir erst, wenn der Kessel explodiert.«

»Wat? Wullt du all wedder na Huus?«

Kapitän Kurt van Meeteren gehörte nach seinen Worten zu jenen Seeleuten, die das Glück hatten, noch auf »richtigen« Schiffen gefahren zu sein.

Als Kapitän van Meeteren 80 Jahre alt, das war im Jahre 1988, war er seit 15 Jahren nicht mehr im Bremer Hafen gewesen. Gewiß, er hatte in dieser Zeit zwei Schiffsreisen unternommen, obwohl..., die zählten eigentlich nicht.

Einmal, so erzählte er, sei er mit der Fähre nach Bornholm gefahren und einmal von Piräus nach Kreta. Für einen, der auf der »Magdalene Vinnen« vor dem Mast gestanden hatte, kann so etwas nicht als Seereise bezeichnet werden.

Warum Kurt van Meeteren den Beruf des Seemanns gewählt hatte, das blieb ihm selbst sein Leben lang ein Rätsel. Es war wohl das unruhige Blut seiner Mutter in ihm.

Seine Mutter war als junges Mädchen und nach einer kaufmännischen Tätigkeit in der Bremer Schokoladenfabrik Hachez nach England gefahren, hatte dort Deutschunterricht gegeben und mit der Frauenbewegung sympathisiert. Sie ging anschließend nach New York und nach Paris, später auch nach Amsterdam, wo sie ihren späteren Ehemann kennen lernte.

Es muß eine couragierte Frau gewesen sein, denn als ihr Sohn Kurt – damals neun Jahre alt – beschloß, ein Seemann zu werden, und ihr das mitteilte, meinte sie schlicht: »Das tu! Aber denke daran, daß man in diesem Beruf sehr schwer arbeiten muß.«

Kurt van Meeteren merkte sich diese Worte gut. Er fand sie dann auch bestätigt, nachdem er im Jahre 1925 mit gepacktem Seesack zum ersten Male die Planken eines Schiffes betreten hatte.

Allerdings hatte er auch den schwersten Weg gewählt, den damals ein junger Mann, der zur See fahren wollte, nehmen konnte: Eine Ausbildung auf einen Segelschiff.«

Zehneinhalb Monate fuhr er als Junge und fünfzehneinhalb Monate als Leichtmatrose auf der »Carl Vinnen«. Aber als er dann nach mehr als einjähriger Fahrenszeit um Urlaub bat, fragte ihn der Kapitän völlig entgeistert: »Wat? Wullt du all wedder na Huus?«

Kurt van Meeteren erzählte später: »Pro Tag hatten wir zwei Wachen, das waren zwölf Stunden Arbeitszeit – diese Zeit war von Gott gegeben. Und dann kamen noch die Überstunden dazu.«

Und die wurden nicht als Überstunden geführt, sondern als Notstandsarbeiten. Nur in Ausnahmefällen bekam man Überstunden bezahlt. In sechs Monaten brachte es Kurt van Meeteren einmal auf elf Überstunden. Da habe der Reeder den Kapitän gefragt: »Wie hat der Mann das auf soviel Überstunden gebracht?«

In jener Zeit lernte der junge Mann auch, daß Seemannslieder, in denen immerzu von Rum und Liebe die Rede ist, ganz offenbar von Leuten stammen, die mit der Seefahrt nicht gar soviel zu tun gehabt haben können.

»Auf den Segelschiffen gab es meistens eine Flasche Schnaps. Das war eine Art Brennspiritus, den der Kapitän verwaltete. Und nur an ganz harten Tagen, wenn Schlechtwetter war und wir pitschnaß an Deck standen, dann gab's mal einen Schnaps zugeteilt. Wegen der inneren Wärme. Wir hatten ja keine Heizung an Bord – jedenfalls funktionierte die nicht.«

Beendet hat Kurt van Meeteren seine Segelschiffszeit auf der »Magdalene Vinnen«. Das war eine Viermastbark, 1921 erbaut und damals das »größte und schönste Segelschiff der Welt«. Sie wurde später vom Norddeutschen Lloyd übernommen und fuhr als Schulschiff unter dem Namen »Kommodore Johnsen«.

Auch Kurt van Meeteren ging zum Norddeutschen Lloyd und lernte in den Vorkriegsjahren mehrere Schiffe der Reederei als Offiziersanwärter, als 4., 3. und 2. Offizier kennen. Besonders schöne Jahre verlebte er auf dem 13.367 BRT großen Passagierdampfer »Stuttgart« und auf dem legendären »General von Steuben«, der 1938 in »Steuben« umbenannt wurde und in der Seemannssprache eine Geschlechtsumwandlung erfuhr. Das Schiff wurde danach »die Steuben«. Beide Schiffe, »Stuttgart« und »Steuben« gingen während des Zweiten Weltkrieges verloren.

Während der Kriegsjahre war Kurt van Meeteren bei der Kriegsmarine – zunächst in Wilhelmshaven. Danach wurde er »verlegt«. Der Weg führte ihn aber über Bremen, wo er sich mit seiner Frau traf.

»Wohin fahrt ihr?« fragte sie.

Er antwortete: »Das weiß ich nicht. Das ist geheim.«

Daraufhin meinte sie: »Och, dann sollt ihr wohl Norwegen erobern.«

Und auf seine entsetzte Frage: »Woher weißt du das?«, meinte sie gelassen: »Das habe ich beim Schlachter gehört.«

Kurt van Meeteren hat dann tatsächlich bei der Eroberung Norwegens helfen müssen. Später wurde er zur U-Boot-Waffe versetzt, brachte es bis zum U-Boot-Kommandanten und – überlebte, was einem Wunder gleich kam.

Als der Krieg zu Ende war, landete er bei der »Firma Schiet & Schutt« – es galt, Bremen wieder aufzubauen.

Da erreichte ihn das Angebot einer in der Schweiz ansässigen internationalen Auswandererorganisation. Er wurde als Begleitoffizier auf Auswandererschiffen angeheuert. Und noch in seinen letzten Jahren erzählte er lächelnd: »Da brauchte ich keine Steuern zu bezahlen, weil Seeleute in der Schweiz nicht steuerpflichtig waren, denn – es gab ja offiziell keine.«

Als im Jahre 1954 die schwedische »Gripsholm« als erstes deutsches Passagierschiff vom Norddeutschen Lloyd übernommen wurde, war auch Kurt van Meeteren wieder dabei – zunächst als 2. Offizier. Zwei Jahre später wurde er Kapitän auf MS »Liebenstein« Das war ein 2.353 BRT großes Frachtschiff, das Bananen von den Kanarischen Inseln holte. Sein letztes Schiff war die 8.034 BRT große »Bartenstein«.

Als er mit 65 Jahren abmusterte, mußte er zum Abschied 42 Hände schütteln. Und in Erinnerung daran meinte er kopfschüttelnd: »Der Kapitän heute, der läuft durchs Schiff und ist glücklich, wenn er mal einen findet, mit dem er schnacken kann.«

Sprachgenie

Karl Hinners aus Walle war dscha nu von seiner ersten Reise als Schiffsjunge nach Hause zurückgekommen, und Willy, der Nachbarssohn, der noch aufs Gymnasium ging, fragte: »Na, Karl, hast orntlich was geseh'n vonne Welt?«

»Kannst auf ab«, sagte Karl Hinners von oben herab, und Willy sagte: »Denn kannst du dschetzt auch wohl englisch sprechen, was?«

»Englisch?« fragte Karl und schnaubte verächtlich. »Nich nur englisch. Ich sprech fast alle Sprachen.«

»Donnerwetter«, sagte Willy. »Denn hast du dich am Ende wohl auch mit Chinesen unterhalten.«

»Fließend!«. sagte Karl.

Und Willy, voller Hochachtung, meinte: »Mannometer, und was ha'm se gesacht, die Chinesen.«

»Ja, siehst du«, pöbelte Karl Hinners. »Das isses eben. Kannst schnacken mit den Kerlen, was du willst. Die sind so blöd, die versteh'n kein Wort.«

Liebe

Die Liebe ist ja ein unerschöpfliches Thema, nicht nur an der Küste. Aber an der Küste ist sie noch unerschöpflicher, und besonders war sie es in Bremerhaven in der Bürgermeister-Smidt-Straße. Die hieß allgemein nur »Bürger«, weil dort die reputierlichen Bremerhavener, aber auch die Leher und Geestemünder, die ja in der Stadt Wesermünde wohnten (das war vor dem Zweiten Weltkrieg alles ein bißchen kompliziert), »bürgerten«. Außerdem gab es in der Bürgermeister-Smidt-Straße an jeder Ecke eine Kneipe, und in einer jener Kneipen verkehrte Erna aus der Thulesiusstraße.

Erna zeichnete sich durch zwei Eigenschaften aus, die in einer Hafenstadt unbezahlbar sind. Sie war eine treue Seele und hatte ein großes Herz, in dem Platz für ganze Schiffsbesatzungen war. Dabei muß hinzugefügt werden, daß damals so ein Schiff noch reell bemannt war – nicht mit so ein paar Leuten wie heute.

Aber auf eines legte Erna großen Wert: Wenn sie liebte, dann jedenfalls immer nur einen zur Zeit. Und daran änderte sich auch nichts, nachdem Erna in einem Anfall von Großmut Kuddel Schietpott geheiratet hatte. Der hieß eigentlich Wilfried Logemann, aber beim Angeln an der Geeste, gleich bei der Franzosenbrücke, war ihm einmal auf wunderbare Weise ein Nachtopf an den Angelhaken geraten ...

Und so etwas wird man sein lebenlang nicht wieder los.

Kuddel Schietpott hatte sich also unsterblich in Erna verliebt und geschworen, er werde – falls sie seine Liebe nicht erwidere – in die Geeste springen, die schon einmal sein Schicksalsstrom gewesen war.

Und als man Erna diesen Schwur hinterbrachte, sagte sie: »Och Gottchen, nee, der Dschunge kricht das fertig und springt bei Ebbe, dann erstickt er im Schlick, – und das muß'n schrecklicher Tod sein.« Und so ist Erna Kuddel Schietpotts Frau geworden.

Das ging ja auch soweit ganz gut, weil Kuddel zur See fuhr und manchmal monatelang unterwegs war. Meistens Amerika-Westküste und Amazonas.

Aber wie das so ist, auch auf die glücklichste Ehe fällt mal ein Schatten.

Eines Tages passierte es, daß Kuddel mit seinem Schiff 24 Stunden zu früh in Bremerhaven einlief. Und als er nun, den Seesack auf der Schulter, seine Wohnung betrat, fand er dort nicht nur Erna vor, was er erwartet hatte. Sondern es war auch ein ihm völlig fremder Mann anwesend, der – den Tätowierungen auf der Brust nach zu urteilen – ebenfalls ein Seemann war. Und den hatte er nicht erwartet.

Kuddel ließ ganz sacht seinen Seesack von der Schulter gleiten und wollte eben ansetzen zu einer mit kräftigen Schlägen durchsetzten Rede, da fuhr Erna auf ihn los und schimpfte wie ein Rohrspatz:

»Nu kuck einer den Kerl an, sacht, er kommt morgen. Und stattdessen kommt er heute. Nee, Kuddel, so geht das nich in einer guten Ehe. Und auf'n Kerl, auf den kein Verlaß is, den kann und kann ich nich ab – das merk dir mal. Und nu hau' ab, geh an Bord und komm morgen wieder, wie sich das gehört und wie es inner Zeitung gestanden hat. Den Seesack kannst ja schon mal hier lassen.«

Das hat Kuddel denn auch getan, und er war froh, daß er sich mit dem schweren Ding nicht noch einmal abschleppen mußte.

Nur der Ordnung halber sollte gesagt werden, daß diese Geschichte rausgekommen ist, als Erna und Kuddel Silberhochzeit gefeiert haben. Da hatte Kuddel'n büschen viel getrunken. Und da hat er die Geschichte erzählt.

Gott sei Dank!

Ein katholischer Geistlicher aus dem Raum Münster hatte auf einem kleinen Frachter eine Passage von Bremerhaven nach England gebucht, wo er an irgendeinem Kongreß teilnehmen wollte.

Der Reeder hatte ihm seine Kabine zur Verfügung gestellt, und an sich fühlte sich der Geistliche an Bord recht wohl, wenn nur die fluchenden Seeleute nicht gewesen wären.

Wann immer er die Seeleute bei der Arbeit traf – und das war ja nun ständig, sie fluchten wie die Rohrspatzen.

Beim Mittagessen in der Offiziersmesse wandte sich die Geistliche an den Kapitän und meinte: »Müssen eigentlich Seeleute immerzu fluchen?«

»Tun sie das denn?« fragte der Kapitän ein bißchen scheinheilig.

»Hören Sie das denn gar nicht?« fragte der Geistliche.

»Nö!«

»Ich bin entsetzt«, meinte der Gottesmann. »Vielleicht sollten Sie sich das mal anhören und es ihnen dann sagen, daß man auch ohne zu fluchen arbeiten und sich unterhalten kann.«

»Ich werd' das mal mit dem Bootsmann beschnacken«, sagte der Kapitän und zwinkerte dem Ersten zu, der sein Grienen kaum unterdrücken konnte.

Hinter Rotersand wurde die See etwas kabbelig, und als Helgoland im Dunst verschwunden war, kam ein Sturm auf, der dem kleinen Frachter schwer zusetzte.

Dem Geistlichen war die Sache nicht geheuer, zumal er von einer Sekunde zur anderen von der Seekrankheit überwältigt wurde, nicht schlimm, aber sie machte ihm zu schaffen.

Er kletterte auf die Brücke und erkundigte sich beim Kapitän: »Wie sieht es aus, Herr Kapitän? Müssen wir mit dem Schlimmsten rechnen?«

Der Kapitän setzte eine sorglose Miene auf und sagte: »Solange die Seeleute noch fluchen, ist alles in Ordnung! Sie können sich ruhig in die Koje legen. Lang liegen ist das beste bei Seekrankheit.«

Die See wurde immer schwerer, so daß selbst dem Kapitän leichte Bedenken kamen. Aber er kannte sein Schiff und hatte Vertrauen zu seinen Leuten.

Und während die Brecher über das Vorschiff gingen, tauchte der Geistliche auf, kletterte klitschnaß auf die Brücke und klagte: »Herr Kapitän, es ist ja ein furchtbares Wetter!« Und er fügte vorsichtig hinzu: »Sagen Sie, fluchen die Seeleute immer noch?«

»Mehr denn je«, antwortete der Kapitän.

Woraufhin der Geistliche mit einem Seufzer der Erleichterung sagte: »Gott sei Dank!«

Seemannsberuf

Warum Heinrich Sengstake kein Seemann geworden ist, was er zunächst, als er ein kleiner Junge war, fest vor hatte? Das hängt damit zusammen, daß er sich schon sehr früh der Unmöglichkeit bewußt wurde, als Kapitän bei heftigem Seegang mit weißer Nase und grünen Ohren auf der Kommandobrücke zu stehen und Kommandos zu geben, die dann auch noch ernst genommen wurden.

In den von Hans Albers und seinen Nachfolgern gesungenen Seemannsliedern kommt ja, wie Sie wissen, ein Kapitän mit weißer Nase und grünen Ohren nicht vor. Ein richtiger Kapitän in Seemannsliedern hat allenfalls eine rote Nase, was aber nicht vom steifen Nordwest kommt, sondern vom steifen Grog.

Mitunter allerdings beschleicht Heinrich Sengstake eine Ahnung, als sei sein Mangel an Seefestigkeit gar nicht naturgegeben, sondern die Folge einer seelischen Verwirrung, ausgelöst durch eine Postkarte aus Australien.

Diese Postkarte erhielt er im Jahre 1937 von seinem Vater, der damals als Erster Steuermann auf irgendeinem kleineren Pott vom Norddeutschen Loyd fuhr.

Das Schiff jedenfalls hatte Ladung in irgendeinem australischen Hafen an Bord genommen, und der alte Sengstake hatte seinem Sohn von dort aus diese Postkarte geschickt. Auf ihr war ein Krokodil abgebildet, das – hochaufgerichtet – auf seinem Schwanz hockte und mit offenem Rachen einen barfüßigen Jungen gierig betrachtete, der vor ihm auf eine Palme geflüchtet war.

Wenn Heinrich Sengstake es heute recht bedenkt, soll es sich dabei wohl um eine humoristische Postkarte gehandelt haben, denn es stand in Sprechblasen ein Dialog zwischen dem Krokodil und dem Jungen dabei, leider in englischer Sprache, so daß der junge Heinrich den Text nicht lesen konnte. Später übersetzte ihm das jemand und sagte, das englisch sprechende Krokodil fordere den Jungen auf, zu ihm herunter zu klettern. Es werde ihm bestimmt nichts tun.

Für Heinrich Sengstake entwickelte sich diese humoristische Postkarte zu einem Alpdruck, der ihn sogar im Traum verfolgte – allerdings in der Form, daß er es war, der auf dem Baum hockte und den heißen Atem des Krokodils an seinen nackten Beinen spürte.

Nun war man ja hierzulande vor Krokodilen im allgemeinen ziemlich sicher, so daß sich Heinrich weiter keine Sorgen hätte zu machen brauchen.

Aber er malte sich seine Zukunft als Kapitän aus und stellte sich vor, wie es wäre, wenn er mit einem Schiff nach Australien käme.

Es bestand für ihn nicht der geringste Zweifel, daß ihn dann in den Häfen dieses fernen Erdteils die Krokodile massenweise erwarten würden, um ihn auf irgendwelche Palmen zu jagen.

Das Schlimmste aber mochte Heinrich gar nicht zu Ende denken, nämlich die Aufforderung des Krokodils an ihn, getrost von der Palme herunterzuklettern. Es wolle ihm nur mal eben etwas Interessantes erzählen.

Was dann?

Heinrich Sengstake kannte sich. Er war noch als alter Mann so naiv, jede Freundlichkeit für bare Münze zu nehmen und auf jedes nette Krokodil herein zu fallen.

Er wäre, um das arme Tier durch sein Mißtrauen nicht zu kränken, zu ihm hinuntergestiegen.

Dieser Gedanke hat Heinrich Senkstake damals nicht losgelassen und ihn derart belastet, daß er während einer bald darauf stattfindenden Reise nach Helgoland mit dem Seebäderschiff »Roland« vom Norddeutschen Lloyd, das allgemein und wegen seiner selbst bei Windstille rollenden Eigenschaft nur »Rolland« hieß, seekrank wurde.

Davon hat er sich nie wieder richtig erholt, so daß er fortan einen guten Grund hatte, alle Pläne für eine seemännische Karriere weit von sich zu weisen.

Als er dann später erfuhr, daß Seeleute in keinem Hafen der Welt und auch nicht in Australien von Krokodilen erwartet werden, sondern allenfalls von hübschen jungen Damen – da war es zu spät.

Luv und Lee

Einmal erzählte ein junger Schiffsoffizier in stiller Verzweiflung, daß er immer wieder mit den Begriffen Luv und Lee durcheinander käme und jedesmal überlegen müsse, welche Seite Luv und welche Seite Lee sei.

Der Zuhörer, ein Freund aus alten Tagen, der mit der Schiffahrt so gut wie nichts zu tun hatte, gab zu verstehen, daß auch er mit Luv und Lee nicht klar komme, was bei ihm einmal weitreichende Folgen gehabt hatte. Er besaß nämlich einmal einen dunkelblauen Anzug, den er dummerweise auf der Reise nach Helgoland getragen hatte – den mußte er anschließend in die Reinigung geben, was aber so gut wie gar nichts genützt hatte. Der Anzug war ein für allemal verdorben gewesen.

Es war im Sommer des Jahres 1948, als der Erzähler, damals noch ein Schüler, mit seiner Schule einen Ausflug nach Helgoland unternahm.

Ein Ausflug nach Helgoland unterschied sich damals erheblich von den heutigen Ausflügen nach der roten Felseninsel in der Nordsee.

Denn erstens handelte es sich bei dem Seebäderschiff um die »Wangerooge«, die ein nur notdürftig umgebautes Minensuchboot der deutschen Kriegsmarine war. Zweites durfte man zu jener Zeit die Insel nicht betreten, weil sich die Engländer in den Kopf gesetzt hatten, die Insel restlos zu zerstören – mit Bombenangriffen und mit einer gewaltigen Sprengung, deren Resultat das heutige Helgoländer Mittelland ist, wo sich das Krankenhaus befindet.

Die »Wangerooge« mußte sich darauf beschränken, die Insel weiträumig zu umfahren, was bei heftiger See den Nachteil hatte, daß man ungefähr acht Stunden ununterbrochen an Bord dieses etwas windanfälligen Schiffes aushalten mußte.

Sie merken sicherlich schon, welchen Kurs diese Geschichte nimmt.

In den Räumlichkeiten des Schiffes herrschte während der Reise eine Luft zum Zerschneiden, denn es wurde, wie es sich für die Schüler der oberen Klassen gehörte, geraucht. Und es wurde..., also, manche Leute sind nicht in der Lage, rechtzeitig das Weite zu suchen, wenn die Seekrankheit sie überfällt. Aber suchen Sie mal das Weite auf einem engen Minensuchboot.

Den Chronisten drängte es mit der Wucht eines Naturereignisses hinaus an die frische Luft, wo er sich für den Rest der Reise an die Reling klammerte und überlegte, ob es für ihn und seinen Zustand nicht besser sei, über Bord zu springen. Dann hätte die Not ein Ende gehabt.

Unglücklicherweise hatte er sich für seinen Aufenthalt an Deck für die Luvseite entschieden, was zur Folge hatte, daß ihn alle seine Freunde, selbst die besten, ganz überstürzt verließen.

Nur Wolfgang Dehn, der später bei Hapag-Lloyd ein hohes Tier geworden ist, aber natürlich in einer Landstellung, kam von Zeit zu Zeit, um den Zustand des Seekranken fotografisch belegen zu können.

Tröstend sagte er: »Falls du über Bord gehen solltest, was ja nicht ausgeschlossen ist, hätte der übrig gebliebene Teil der Klasse doch wenigstens eine schöne Erinnerung. Denn selbstverständlich werde ich mehrere Abzüge herstellen lassen.«

Wenn Sie diesen Ausführungen bis hierher gefolgt sind, werden Sie wissen, daß Luv die Seite ist, von der der Wind kommt.

Im Aufwind der Luvseite fliegen übrigens auch die Möwen, die ein Schiff begleiten, was für einen ordentlich gekleideten Passagier schon Grund genug wäre, sich auf die Leeseite zu stellen.

Was schließen wir aus all dem? Wenn wir auf einem Schiff irgendetwas los werden wollen oder müssen, dann geben wir das in Lee über Bord.

Aber beherzigen Sie diesen Rat wirklich nur, wenn es sich um eine unaufschiebbare Angelegenheit handelt, von der Art, wie sie Wolfgang Dehn so feinsinnig fotografiert hat.

Alles andere fällt heutzutage unter den Umweltschutz und kann gegebenenfalls bestraft werden.

Um es kurz zu machen. Lee ist die vor Wind und See geschützte Seite. Luv ist die Richtung, aus der der Wind kommt.

Und denken Sie daran, daß diese Seiten bei einem Schiff immer mal wechseln.

Gatt und Balje

Mit der Verklarung von seemännischen Ausdrücken ist das ja manchmal so eine Sache.

Ich meine, Steuerbord und Backbord und Luv und Lee, das kennt jeder, obwohl man natürlich im entscheidenden Augenblick nie recht weiß, wo was ist.

Aber ein alter, längst im Ruhestand befindlicher Kapitän hat mal erzählt, wie ihm – da war er noch Moses – der Bootsmann den Unterschied zwischen Gatt und Balje erklärt hat.

Das heißt, zunächst war der Bootsmann ganz verdattert, als der Moses, der mit der Mittleren Reife in der Tasche und mit den schönsten Blütenträumen im Kopf an Bord gegangen war, und sich infolgedessen das Recht auf intelligente Fragen herausnahm, wissen wollte, was der Unterschied sei zwischen Gatt und Balje.

»Wie kommst du denn auf so'n Tünkram?«, wollte der Bootsmann wissen.

Aber dann war wohl für einen Augenblick in ihm das Bewußtsein durchgedrungen, daß man auch als Bootsmann für die allgemeine Bildung der Jugend etwas tun müsse.

Er sagte: »Also, Jung', hör zu, ein Gatt is'n Gatt, und eine Balje is'ne Balje.«

An dem Gesicht des Jungen merkte er, daß er die Frage nicht auf den Punkt beantwortet hatte.

Er erweiterte seinen Vortrag mit den Worten: »Wenn du zum Beispiel an Land bist, und es ist Sonnabendnachmittag, dann steigst du inne Balje und schrubbst dich ab. Aber an Bord, wo das Tauwerk liegt, da ist das Kabelgatt. Hast du das kapiert?«

Der Moses nickte sparsam und meinte dann aber, er habe das wohl etwas anders gemeint. Denn er wisse doch aus der Schule, daß es eine Blaue Balje unweit der Insel Wangerooge in der Nordsee gäbe, und dann gäbe es zwischen Nordsee und Ostsee das Kattegatt.

Da guckte ihn der Bootsmann lange an und meinte: »Da kannst du mal seh'n, was für'n Unfug ein' in der Schule beigebracht wird.« Und weil ihm selbst diese Antwort nicht genügte, meinte er: »Ich will mir das aber noch mal überlegen. Morgen sprechen wir darüber.«

Danach ist der Bootsmann zum Ersten Offizier gegangen. Denn der Erste ist ja für das Deck verantwortlich und sozusagen der Vorgesetzte des Bootsmanns. Er hat ihm die Geschichte vortragen. Und der Erste hat wohl'n paar erklärende Worte parat gehabt.

Am nächsten Tag hat der Bootsmann zum Moses gesagt: »Komm ma' her. Also, ein Gatt das is ein Gatt. Das kann ein Speigatt sein, ein Kabelgatt oder ein Wattgatt. Das ist, wenn du weißt, was ich meine, eine tiefe Stelle im Wattenmeer, eine schmale Fahrrinne, verstehst du? Und'ne Balje ist'ne schmale Fahrrinne im Wattenmeer.«

Der Moses guckte etwas irritiert und sagte: »Aber dann is das ja ein und daßelbe.«

Der Bootsmann kratzte sich an der Nase, denn genau das war ihm auch aufgefallen, und er meinte ein bißchen unsicher: »Is ja wohl!«

»Aber es muß doch'n Unterschied geben«, bohrte der Junge weiter.

Aber da hat der Bootsmann alle seine guten pädagogischen Vorsätze über Bord geworfen und geknurrt: »Nu hol dat Muul, anners hau ik di wat vör't Gatt!«

Was er damit nun wieder gemeint habe, fragte der Moses. Und der Bootsmann wäre daraufhin beinahe explodiert.

»Menschenskind«, bullerte er los. »In diesem Falle is dat Gatt dien Mors. Hast du das nu begriffen?«

Und da hat der Junge, ganz ermattet von soviel seemännischem Lehrstoff, gesagt: »Ja, ja!« Und da hat ihm der Bootsmann eine Backpfeife gegeben, die nicht von schlechten Eltern war.

Der Bootsmann ist danach ganz entnervt zum Koch gegangen. Der war sein Freund. Und mit dem hat er sich über die Nichtsnutzigkeit der heutigen Jugend unterhalten.

Der Moses aber stand an der Reling, hielt sich die Backe, und der Erste, der zufällig vorbei kam, fragte: »Was ist denn mit dir los?«

»Der Bootsmann hat mir eine geklebt«, antwortete der Junge.

Der Erste wollte wissen: »Was hast du den ausgefressen?«

»Ich, nix. Ich hat nur ›ja, ja‹ gesagt.«

»Siehstu«, sagte da der Erste. »Daran erkennst du, was du noch alles lernen mußt, ehe du'n anstännigen Seemann wirst. Ja, ja – das ist daßelbe, als wenn du in der Schule deinem Lehrer auf die Frage, ob du auch alles verstanden hast, mit dem Götz-Zitat geantwortet hättest.«

Der Erste kannte sich aus in der Literatur. Er war auch mit der Mittleren Reife von der Schule abgegangen – mehr oder weniger freiwillig.

Dann aber fiel ihm ein, daß der Junge dem Bootsmann ja die Frage nach der Balje und dem Gatt gestellt hatte.

Er fragte: »Hast du das denn begriffen – den Unterschied, mein' ich, zwischen Balje und Gatt?«

Der Moses antwortete wahrheitsgemäß: »Nee!«

Daraufhin rieb sich der Erste das Kinn und meinte: »Is auch nich schlimm. Brauchst du nie!«

Wo fließt das Wasser bei Ebbe hin?

Ein Binnenländer kann das natürlich nicht wissen. Warum sollte er auch?

Er hat zu Hause keine Ebbe, allenfalls in seiner Haushaltskasse. Aber das gehört nicht hierher.

Darum fragt er einen Bremerhavener, der es wissen müßte. Denn die Bremerhavener wohnen an der Weser und gehen fast jeden Tag zum Weserdeich, und dort sehen sie die Weser, die Weser bei Ebbe und bei Flut, je nachdem.

Also, bitte sehr, wo fließt bei Ebbe das Wasser hin?

»Das Wasser? Na, hör'n Se mal. Das fließt bei Ebbe ab.«

»Und dann?« fragt der Binnenländer.

»Ja, also!« Der Bremerhavener kommt ein bißchen ins Schleudern. »Also, wissen Sie, das ist so, Ebbe und Flut hängen mit dem Mond zusammen.«

Der Binnenländer guckt ein bißchen dösig, und der Bremerhavener auch.

Menschenskind, denkt der, welcher Teufel hat mich geritten, ausgerechnet heute an den Weserdeich zu gehen.

Er kratzt sich den Kopf und sagt: »Ja, der Mond, wissen Sie, so richtig hat das noch kein Mensch erforscht.«

»Aha!«, nickt der Binnenländer, und schaut in den Himmel. Dann meint er: »Ob denn wohl der Mond das Wasser der Weser bei Ebbe schlürft und bei Flut wieder ausspuckt? Zuzutrauen ist ihm das ja wohl!«

»Nee, so ist das natürlich nicht«, sagt der »Fachmann« und fängt an, vom Watt zu erzählen und vom Ebbstrom und von all diesen Geschichten, die der Binnenländer gar nicht hören will.

»Ja, ja«, sagt der Binnenländer. »Alles gut und schön. Aber, wo fließt das Wasser bei Ebbe hin?«

Und der Bremerhavener schüttelt den Kopf und sagt: »Das sieht man doch. Weserabwärts!«

Schlaf

Eine junge Seemannsfrau fragte ihren von Großer Fahrt heimkehrenden Mann, wie es denn in der weiten Welt gewesen sei.

Der junge Ehemann, Zweiter Offizier auf einem Containerschiff, kriegte einen schwärmerischen Ausdruck im Blick, und er sagte: »Es war wundervoll. Ich habe in jeder Freiwache fest geschlafen.«

Als die junge Frau das in einer kleinen Gesellschaft erzählte, an der auch Jan Bodendiek teilnahm, wurde der an seinen Vater erinnert. Der war nämlich auch ein Seemann gewesen und hatte nicht nur in den Freiwachen auf dem Schiff geschlafen, sondern auch zu Hause, wenn er sich auf Urlaub befand. Dafür hatte er sich eigens einen bequemen Sessel gekauft, und in diesem Sessel pflegte er stundenlang zu schlafen.

Jan Bodendieks Großmutter, die Schwiegermutter seines Vaters, fand dieses Verhalten ihres Schwiegersohnes, mit dem sie sich sonst recht gut verstand, sehr merkwürdig. Sie sagte zu Jans Mutter: »So etwas hab' ich ja noch nie erlebt. Der Kerl muß krank sein.«

Als Vater Bodendiek einmal in seinem Sessel saß und schlief, da schnitt ihm seine Schwiegermutter ein paar Büschel Haare ab. Die schickte sie zu einem Heilkundigen namens Broscheid in Berlin, denn der war auf Haar-Diagnosen spezialisiert und von ihm hatte sie bisher nur Gutes gehört. In einem Begleitbrief fragte sie ihn nach der Krankheit des Trägers dieser Haare.

Broscheid schrieb zurück: »Ich kann Sie beruhigen. Der Mann, dem diese Haare gehören, ist kerngesund. Er braucht nur eines: Sehr viel Schlaf!«

Siegestrophäe

Carl Otto Efferoth, einer der bekanntesten Kapitäne des Norddeutschen Lloyd nach dem Zweiten Weltkrieg, der unter anderem auch die »Berlin« und die »Europa« führte, war ein vielseitig gebildeter Herr. Er kochte auch leidenschaftlich gern – und gab den Chefköchen seiner Schiffe immer gute Ratschläge, was die mit zwei Sätzen kommentierten: »Ein feiner Kerl! Mit dem kannst mal ein vernünftiges Wort reden.«

Außerdem tischlerte er mit großem Vergnügen, und lachend pflegte er eine Siegestrophäe zu zeigen: Seinen rechten Daumen, der keiner mehr war.

»Abgesägt!«, sagte er dann und fügte hinzu: »Natürlich aus Versehen!«

Käpten als Smutje

Im Jahre 1953 erfüllte der Norddeutsche Lloyd seinem Kapitän Heinz Vollmers einen Herzenswunsch. Ihm wurde das Kommando auf dem Motorschiff »Schwabenstein« übertragen, mit der die Reederei damals ihren Ostasien-Dienst wieder eröffnete.

In Ostasien wußte man mit dem Namen Vollmers aus Vorkriegstagen noch sehr wohl etwas anzufangen, da er sich als 1. Offizier in Ostasien zu einem hochgeschätzten Spezialisten entwickelt hatte.

Als er mit der »Schwabenstein« in Hongkong eintraf, überreichte ihm Miss Hongkong eine riesengroße Puppe mit Namen »Fuji Musume«, was »Fräulein Glycinienblüte« bedeutete, die dann einen Ehrenplatz in der Vollmerschen Wohnung in Bremerhaven einnahm.

Doch Fuji Musume stellte längst nicht die einzige Sehenswürdigkeit im Hause Vollmers dar. Mit dem Sachverstand eines Kunstkenners und der Leidenschaft eines Sammlers hatte Heinz Vollmers im Lauf der Jahre Schätze zusammengetragen, denen man wahrlich Unrecht getan, wenn man sie als Souvenirs abgetan hätte. Japanische Masken, ein chinesischer Stempel aus der Ming-Dynastie um 1500, eine asiatische Strohhutsammlung – das alles verriet den Freund schöner Dinge, den Lebenskünstler, in dessen Bibliothek im übrigen seltene chinesische Kochbücher zu finden waren.

Denn der Sammler Heinz Vollmers war zugleich auch ein Gourmet. Als seine schönsten Stunden bezeichnete er jene, die er in der Küche am Herd seiner Wohnung in der »Bürger« in Bremerhaven verbrachte.

Die Spezialität des Smutje mit den vier goldenen Ärmelstreifen: chinesische Reisgerichte.

Verprechen gehalten

Kapitän Heinz Vollmers, Kommandant des Flaggschiffs »Bremen« vom Norddeutschen Lloyd, der
in der »Bürger« in Bremerhaven wohnte, stammte
aus Lehe, wo sein Vater als Kaufmann tätig war.
Doch für einen Jungen von der Unterweser war
es selbstverständlich, einmal ein Seemann zu werden.

Das lag denn wohl auch im Blut – die Vollmers waren ein altes Seefahrergeschlecht von der
Unterelbe. Und wenn Elbe und Weser im Blut
eines Menschen zusammenfließen, muß am Ende
ein Seemann herauskommen, möglichst ein Kapitän.

Die alten Vollmers aus Lehe waren allerdings
gar nicht begeistert von dem Berufswunsch ihres
Sohnes, und erst als sie nach endlosen Debatten
merkten, daß bei ihrem Heinz Hopfen und Malz
verloren waren, gaben sie nach.

Aber sie baten ihn um Gottes Willen, sich
wenigstens nicht seinen Großvater mütterlicher
seits zum Vorbild zu nehmen. Dieser Großvater
nämlich hatte es zwar in seinem Leben zum Kapitän gebracht, ein Ziel, das zu erreichen ja wohl
für seinen Enkel – meinte der Vater – eine Ehren-
sache sein werde. Leider aber war der Großvater
im Jahre 1885 – siebzehn Jahre vor der Geburt
seines Enkels Heinz – mit seiner gesamten Besat-
zung in Rio am Gelben Fieber gestorben.

Heinz Vollmers versprach seinen Eltern, das
Gelbe Fieber stets wie die Pest zu meiden. Er pack-

te seinen Seesack und kletterte über die Gangway an Bord des Segelschulschiffes »Prinz Eitel Friedrich«, wo er als Kadett seine Seemannslaufbahn begann.

Und – ob Sie es nun glauben oder nicht – Heinz Vollmers hat sein Versprechen gehalten.

Er wurde wie sein Großvater Kapitän – zuerst 1942 auf dem im Kriegseinsatz befindlichen Lloyd-Fruchtschiff »Eider«, später – nach dem Krieg – brachte er es zum Kommandanten des Flaggschiffs »Bremen«. Aber dem Gelben Fieber ist er stets mit Erfolg aus dem Wege gegangen.

Hermann Gutmann
in der Edition Temmen:

Bremer Geschichte(n)
ISBN 3-86108-158-X   5.90 €

Bremer Bräuche
ISBN 3-86108-156-3   7,90 €

Hat`s geschmeckt
Kleine Geschichten von Wirten und Gästen
ISBN 3-86108-153-9   8,90 €

Roland mit de spitzen Knee
Marktplatzgeschichten
ISBN 3-86108-154-7   8,90 €

Bremerhavener Geschichte(n)
ISBN 3-86108-157-1   7,90 €

Mit vollem Munde spricht man nicht
Von Gastgebern, Gästen und anderen Leuten
ISBN 3-86108-151-2   8,90 €

Opa-Pflichten
Geschichten für Eltern und Großeltern
ISBN 3-86108-155-5   8,90 €

Felix und die alltäglichen Dinge
ISBN 3-86108-150-4   9,90 €

Ehe-Geschichten
ISBN 3-86108-152-0   7,90 €

Geschichten aus dem Schnoor
ISBN 3-86108-161-x   8,90 €

Geschichten aus dem Radio
ISBN 3-86108-159-8   9,90 €

Weitere Titel in Vorbereitung!